北京市属高校高水平创新团队建设计划（IDHT2017051
北京市一流专业建设（市级）体育教育项目
促进高校内涵发展项目《青少年身体运动功能训练方法手段及其效果研究》研究成果

青少年足球运动员 体能训练

周志雄 兰天闻 徐正峰 著

中央民族大学出版社
China Minzu University Press

图书在版编目（CIP）数据

青少年足球运动员体能训练 / 周志雄，兰天闻，徐正峰著 .—北京：中央民族大学出版社，2022.10（2024.8重印）

ISBN 978-7-5660-2020-8

Ⅰ.①青… Ⅱ.①周… ②兰… ③徐… Ⅲ.①青少年—足球运动—运动员—身体训练 Ⅳ.① G843.2

中国版本图书馆 CIP 数据核字（2022）第 008106 号

青少年足球运动员体能训练

著　　者	周志雄　兰天闻　徐正峰
策划编辑	赵秀琴
责任编辑	陈　琳
封面设计	舒刚卫
出版发行	中央民族大学出版社
	北京市海淀区中关村南大街 27 号　　邮编：100081
	电话：（010）68472815（发行部）　传真：（010）68933757（发行部）
	（010）68932218（总编室）　　　（010）68932447（办公室）
经 销 者	全国各地新华书店
印 刷 厂	北京鑫宇图源印刷科技有限公司
开　　本	787×1092　1/16　印张：19.25
字　　数	246 千字
版　　次	2022 年 10 月第 1 版　2024 年 8 月第 2 次印刷
书　　号	ISBN 978-7-5660-2020-8
定　　价	88.00 元

版权所有　翻印必究

序

  自从2015年《中国足球改革发展总体方案》《教育部等6部门关于加快发展青少年校园足球的实施意见》等重要文件相继发布，我国青少年足球运动进入一个新的发展阶段，尤其是由教育部主导的中国青少年校园足球事业进入了高速发展时期，体制机制不断完善，发展模式不断创新。截至2018年11月底，教育部已在全国建立校园足球特色中小学24126所、校园足球试点县（区）135个、校园足球改革试验区38个、校园足球"满天星"训练营47个。

  我国推进的校园足球，定位于构建中国足球"基础工程"，并以足球运动项目为先导引领学校体育改革和发展。在校园开展足球运动既是进一步普及足球运动项目、增大足球人口、夯实足球运动后备人才的基础，也是丰富校园体育文化、促进学生体质健康发展的重要举措。青少年积极参与足球运动，不仅能和朋友一起玩，在足球场上展示自己的运动表现，而且能保持健康，拥有一个强健的体魄。

  尽管足球运动是技能主导类同场对抗运动，但是体能也是足球运动员竞技能力的重要组成部分，足球运动员的体能水平是其足球专项技能发挥的基础和保障。运动员没有良好的体能，难以在长时间高强度的对抗中发挥精湛的专项技术，保持良好的运动状态。从训练学来看，除了足球专项技术战术，足球运动员还应该具备高水平速度，力量，爆发力，灵敏、平衡能力，以及有氧和无氧运动能力。体能训练的目的是通过各种有效的训练方法提高运动员的运动表现。对青少年足球运动员进行科学的体能训练，不仅可以提高他们的体能水平，而且可以提高他们在足球场上的运动表现，以及他们对于专项训练的耐受性，降低受伤风险。

尽管当前我国校园足球处于快速发展期，参与足球运动的学生人数较多，校园足球教学训练水平有较大的提升，但在足球教学训练实践中往往忽视对学生进行体能训练，或只让其进行传统的身体素质练习，缺乏科学、合理的体能训练设计和有效的体能训练方法。为此，我们根据儿童和青少年身心发展特点，借鉴国际上最前沿的足球专项体能训练理念和方法，编写了本书，为在校园足球教学训练中开展科学的体能训练提供指导，为校园足球运动水平提升提供保障。

本书共有11章，从青少年足球运动员的需求开始，分别介绍了足球训练课的准备活动、力量训练、速度素质训练、爆发力训练、耐力训练、灵敏素质和协调能力训练、平衡能力训练、恢复与再生训练，以及不同位置的运动员专项体能训练方法、训练计划与案例。周志雄撰写了第一章和第十一章第三节，兰天闻撰写了第二章、第三章、第四章、第五章、第八章、第九章，徐正峰撰写了第六章、第七章、第十章和第十一章其他小节。感谢孙世琦为本书做的动作示范。

由于水平有限、编写时间仓促，书中尚存在不少问题和不足之处，敬请专家和同行批评并指正。书中借鉴、参考了国内外有关的文献、资料和研究成果，在此一并表示感谢。

周志雄
2019年6月

目录

第一章　青少年足球运动员需求分析　/ 1

　　第一节　足球项目能量代谢特征　/ 6
　　第二节　足球项目比赛特征　/ 8
　　第三节　足球项目的生物力学分析和运动损伤的防治　/ 12

第二章　青少年足球训练课的准备活动　/ 17

　　第一节　肌肉激活　/ 19
　　第二节　动态拉伸　/ 36
　　第三节　动作整合和神经激活　/ 46

第三章　青少年足球运动员力量训练　/ 59

第一节　力量素质影响因素　/ 61

第二节　足球项目专项力量训练设计　/ 65

第三节　青少年足球运动员力量训练方法　/ 82

第四章　青少年足球运动员速度素质训练　/ 103

第一节　速度素质影响因素　/ 105

第二节　速度素质训练计划设计　/ 108

第三节　足球项目速度素质训练方法　/ 111

第五章　青少年足球运动员爆发力训练　/ 131

第一节　爆发力及其影响因素　/ 133

第二节　足球项目爆发力训练计划设计　/ 138

第三节　足球项目爆发力训练方法　/ 144

第六章　青少年足球运动员耐力素质训练　/ 159

第一节　耐力素质及其影响因素与生理学基础　/ 161

第二节　足球项目耐力素质训练计划设计　/ 164

第三节　足球项目专项耐力素质训练方法　/ 169

第七章　青少年足球运动员灵敏素质和协调能力训练　/175

第一节　灵敏协调能力及其影响因素　/177

第二节　足球项目灵敏协调能力训练设计　/181

第三节　灵敏协调能力训练方法　/186

第八章　青少年足球运动员平衡能力训练　/201

第一节　平衡能力影响因素　/204

第二节　足球项目身体平衡能力训练计划设计　/207

第三节　足球项目运动员身体平衡能力训练方法　/210

第九章　足球比赛中不同位置的运动员专项体能训练方法　/223

第一节　足球前锋运动员专项体能训练　/225

第二节　足球中场运动员专项体能训练　/229

第三节　足球后卫运动员专项体能训练　/235

第四节　守门员专项体能训练　/238

第十章　青少年足球运动员恢复与再生训练　/245

第一节　静态拉伸　/247

第二节　按摩与放松　/257

第十一章　青少年足球运动员训练计划与案例　/271

　　第一节　年度训练计划　/273

　　第二节　足球运动员体能训练计划案例　/281

　　第三节　法国青少年足球教学训练课的组织过程和教学模式　/294

第一章

青少年足球运动员

需求分析

足球可以说是世界上最受欢迎的运动，世界杯、欧洲冠军联赛等比赛吸引了世界各地的大量电视观众。如今，足球已成为美国和加拿大最受欢迎的体育运动之一，尤其是在青少年中，有数以百万计的注册青年球员参加了有组织的联赛。

足球是一项对体能要求很高的运动，随着多年来足球战术和比赛体系的变化，体能训练已经成为整个足球训练的一个组成部分。事实上，反击和高压防守是快节奏现代比赛的关键部分，而获得高水平的体能是成功的关键。今天的球员比以往任何时候都更快、更强壮、更有耐力。事实上，顶级球员和普通球员的主要区别之一就是顶级球员常常在比赛中展现出高强度动作和高难度动作。

体能训练对足球运动的贡献很大，强调了设计、实施有效的体能训练计划。在设计这些计划和方案时必须考虑几个因素，最重要的是必须了解这项运动的各种身体要求。足球是一项多维度的动态运动，融合了速度、敏捷性、平衡能力、力量、速度和耐力；体能教练选择与比赛情况相似的训练方式是非常重要的。不同的位置也会有特定的体能要求，特别是年长的和更高级的球员的相关情况也需要在设计训练方案时加以考虑。

分析运动员的竞技表现基于运动员个人和集体特征的客观数据。定性和定量分析揭示了比较重要的方面，如体能、技术和战术。分析球队的跑动，将定性的数据客观化，使战术通过比赛可视化。技术数据详细说明了球员在比赛中的参与情况，并能够生成统计数据，包括有利、不利动作的数据等。有关跑动距离、冲刺次数、一对一比赛次数和比赛中动作次数的定量数据揭示了不同的跑动方式和消耗的能量。团队中的每个成员都为集体战略的利益而提高自己的个人身体素质。尽管在射门、跳跃、一对一、短跑等环节的表现不尽相同，但运动员的运动素质在整场比赛中是显而易见的。

拥有很好的有氧耐力，足球运动员可以在比赛中尽可能长时间地、高节奏地跑动，并在下半场和任何加时赛中脱颖而出。无氧耐力是运动员在进行大量短距离冲刺中形成的一种能力。

本节客观分析了在身体素质和技术战术层面下足球运动员的体能需求。因此，教练在部署不同战术风格的比赛时，要依据体能教练所做的客观报告和数据来进行分析，根据个人和集体的特点来选择使用哪一种战术。对体能教练来说，他们的目标是提前获得足够的队员的信息，以便制定出与团队技术战术部署协调的体能训练计划。对足球运动员的表现进行分析也有助于球员的选材、确定理想的目标球队模型和针对对手的比赛策略。

足球的所有技术战术（如控球、换位、射门等）都取决于球员的身体素质，因此，体能水平的高低直接关系到球队战术风格的发展。

大型的足球赛事，如国际足联世界杯、俱乐部间的欧洲大陆比赛和其他欧洲大陆锦标赛描绘了现代足球运动员的未来发展趋势，因此，在技术方面进行提高是为比赛的需要和运动员的需要做准备。现代化的跟踪分析工具提供了关于运动员和团队在比赛中的活动的精确数据。由于支持足球比赛数据分析的手段越来越多，现代足球比赛的节奏越来越快，足球比赛的娱乐性和观赏性越来越强，球员的身体素质也在不断提高。

对足球比赛的分析揭示了球队攻防转换的速度和个人能力的重要性，较强的球队是那些在比赛中一直占据主导地位，同时努力将防守弱点最小化的球队。但是如今的顶级球队不再需要最好的防守，因为他们越来越容易受到侧翼的攻击，而化解这种攻击的方法是利用他们的攻击型中场和后卫来瓦解对手。在技术方面，控制比赛的球队专注于向抢球过渡，一旦夺回控球权，就积极地发起反击。这样做的目的是在对方能够重新组织防守之前，让对方措手不及。这通常是唯一的方法。防守反击在过去被认为是消极的，现在却成为一种取胜之道。通常，防守反击是顶级球队战术的一个重要组成部分。注意自己的球权的球队一丢球就会迅速把重点放在防守上，限制对手的机会，尽快夺回控球。积极控球指的是持球等待对方防守不备。例如，西班牙的比赛主要基于对积极控球的掌握，即使当前的比赛形势没有立即给对手任何威胁的机会，也要保持控球。这样能够使球队在相互僵持的情况下打破僵局，占据主动地位。一个完整的球队作为一个整体参加比赛，并通过快速将球传给前锋来制造射门机会。一般来说，强队通过在关键时刻控制对手来赢得比赛。

第一节　足球项目能量代谢特征

磷酸根系统利用另一种高能分子磷酸肌酸（PCr）的分解产生ATP，该系统为短距离冲刺、跳跃等高强度动作快速提供ATP。然而，由于PCr在肌肉中的储存非常有限，磷酸根系统一次只能提供时间非常短（少于10秒）的能量。

糖酵解指碳水化合物（血液中的葡萄糖或肌肉中的糖原）经过酶催化作用降解成丙酮酸，并伴随生成ATP的过程。丙酮酸转化为乳酸的过程被称为"厌氧"或"快速糖酵解"，并提供ATP进行高强度的运动，持续10—90秒。有氧或慢糖酵解发生于丙酮酸被运输到肌肉细胞的过程中的一部分线粒体提供ATP以进行中等强度的运动，持续90秒到3分钟。

有氧供能系统的原料主要是糖、脂肪和蛋白质，其代谢的主要场所是细胞的线粒体，在生物氧化过程中提供能量。有氧系统依赖于氧气的可用性，是3分钟以上的低强度或中等强度运动所需ATP的主要提供者。

足球运动从以下代谢系统中获得ATP：磷酸系统产生ATP的速度很快，但持续时间很短。因此，它是强度非常高的运动的主要能源供应者，如滑降拦截、跳水扑救和短距离跑。糖酵解系统产生ATP的速度也很快，但不如磷酸系统快。然而，与磷酸原系统相比，它可以产生持续2分半钟的ATP。糖酵解系统是能量的主要供应者，特别是在球队选择执行高压防守，球员被要求重复跑以尽快赢球的时候。氧化系统产生ATP的能力最强，但产生ATP的速度最慢。这个系统为低强度的活动提供能量，比如在高强度运动间歇和恢复期进行的散步和慢跑。

表 1　人体负责能量产生的代谢系统的主要特征

供能类型	特点	练习时间	在足球运动中的例子
磷酸原	非常快	很高密度的练习（0—10秒）	扑救 侧铲 短距离冲刺
糖酵解（快）	快	高密度的练习（10—90秒）	高压防守
糖酵解（慢）	适中	适中密度的练习（9—120秒）	中场球员在长时间控球期间的连续防守
有氧氧化	慢	低密度的练习	慢跑或走

通过了解这些代谢系统是如何工作的，我们可以设计出具有适当的运动、休息比例的运动，从而提高每个系统产生ATP的能力和效率，对足球运动员的表现产生有益的影响，减少疲劳的可能性。

第二节　足球项目比赛特征

足球是一项间歇性的高体力密度运动，要求运动员在比赛过程中反复进行高强度的运动。这一点可以从球员在比赛中表现出的惊人的心率值中看出，他们的平均心率接近最大心率的85%。在整个比赛过程中，做短跑、跳跃、俯冲及其他爆发式动作会提高血乳酸水平，这在很大程度上导致了比赛过程中的疲劳，尤其在比赛接近尾声时。

一、训练比赛强度高

尽管足球运动会涉及一些低强度的活动，如散步、慢跑甚至站着不动，但对高强度动作的数量和性质进行详细了解是成为体能教练的关键条件。这是因为执行的高强度运动量对运动表现和比赛结果有显著影响。事实上，在欧洲联赛中排名靠前的球队在短跑和高强度跑步方面的表现明显强于排名靠后的球队；在同一赛区中，排名靠前的球队和排名靠后的球队也存在明显的差异。毫无疑问，拥有更高的表现这些动作的能力被证明是有益的。体能教练特别关心的是每次高强度运动的持续时间及每次回合之间的恢复时间。这些参数的内容很重要，特别是各种锻炼计划中运动和休息的比例。大多数高强度的冲刺只会持续几秒钟，但整个运动过程中涵盖了不到1秒的垂直起跳和超过10秒的全程冲刺。更重要的是，恢复时间为几秒到1分钟以上，包括从站着不动到走路或轻快地慢跑返回自己的位置。根据这些信息，我们确定了平均的运动休息比，因为它与在比赛过程中执行高强度动作有关，比例大约是1∶7。

即使在青少年阶段，足球这项运动对体能的要求也很高，成功的运动表现的一个重要因素就是高水平的体能，尤其是对于更高级别的年轻球员。然而，一个重要的区别在于：年轻球员的场上持续时间通常更短；许多联盟采用60分钟的比赛长度，而不是那些老球员的90分钟。

尽管如此，年轻球员在比赛过程中必须在多次高强度的比赛中持续表现并尽快恢复，而且运动量和类型也随着球员位置的不同而有所差异。在一场60分钟的比赛中，年龄为11—14岁的优秀年轻球员跑了大约6公里，其中10%—15%的距离可以说是在高强度下完成的。年轻球员也可能感到疲劳，下半场跑动的距离明显缩短。

有趣的是，研究表明，精英和非精英年轻球员的平均心率都保持在他们最高心率的80%—90%（尽管精英球员能够达到更高的心率），这说明即使处于初级水平的球员也承受着巨大的运动负荷。

二、运动模式多样化

体能教练的一个关键任务是识别比赛中出现的各种运动模式。在一场90分钟的比赛中，足球运动员不断地移动，跑动距离为8—12公里，这取决于比赛的标准。重要的是，这段距离涵盖了多个方向和动作模式的运动。这些动作的例子包括侧滑、后退、曲折线性冲刺和弯道跑，除此之外还有线性的运动方式，如一般的跑步和步行。

在考查足球运动要求的动作时，急停和转弯经常被忽略。球员们必须不断地改变方向，在有球和无球的情况下转身，然后急停。事实上，研究表明，球员在一场比赛中可能做出数百个急停和变向动作，其中许多动作发生在短距离冲刺、高强度奔跑等高强度动作之后。这样的动作会给下肢的关节和肌肉带来巨大的压力，需要极强的敏捷性和协调性来帮助完成这些动作。

球员还会执行许多非移动的动作，如垂直跳跃、静止转弯和肩对肩的对抗。这些动作不会对运动的距离造成影响，但会耗费大量的体力和能量。

三、训练因素多元化

根据涉及的多种动作和动作模式，很明显，在足球比赛中取得成功，进行特定的条件作用要素开发是必要的。这些要素包括平衡性、柔韧性、敏捷性、力量、爆发力、无氧耐力和有氧耐力（图1）。

为足球运动设计一个高效的体能训练计划并不是一件容易的事情，教练在选择运用不同的运动手段时需要考虑所有不同的体能因素。除此之外，教练必须选择能反映足球这项运动特定需求的体能训练，而不仅仅是一般的体能训练，尤其是针对训练年限更长、经验更丰富的球员。

对所有的足球运动员来说，无论在什么位置，极快的速度都是必备的素质。即使是守门员，也需要培养这种体能，特别是当他们到达球门线的时候，他们需要拦截位置好的球。事实上，速度被球员和教练认为是足球表现最重要的预测因素之一。因此，他们花了大量的时间来改善这项运动的这一方面。对时间有限的教练来说，挑战总是在于何时及如何将速度工作纳入一周两次的训练计划。建立一个坚实的速度基础依赖于在其他条件参数中打一个良好的基础，尤其是身体强壮程度、力量和灵活性。灵活性较差的髋屈肌和腿筋肌肉将很大程度地影响步幅。

一提到"速度"，很多人会想到100米跑，但100米跑的训练并不适用于足球。虽然可能看到攻击者从自己半场的深处开始向前冲，但足球运动中的大多数冲刺都发生在相对短的距离内。重要的是，在足球比赛中，加速和冲刺是从不同的起始位置（静止位置、躺着位置、转弯后）和多个方向（直线、对角线、曲线）开始的。足球运动中涉及快速加速和全速冲刺的情况还包括执行一项或多项技术和战术任务，如拦截、接球或重新获得对手的位置。因此，教练需要专注于开发足球特有的速度，这是多维度的。

虽然对年轻球员的体能训练要求与年长球员相当，但教练必须认识到，不能简单地给年轻球员分配一套经过调整的年长球员的体能训练计划。年轻球员是复杂的，具有不同的生理特征。最重要的是，技术训练应该是年轻球员的首要任务，尤其是那些处于青春期前（8—11岁）的球员。对更年轻的球员来说，一般的体能和技术发展应该是重点，而不应仅仅局限于特定的足球训练。体能训练可以被纳入训练课程，但应以有趣的游戏形式进行，并且强度不应该过高。当孩子进入青春期阶段（11—14岁），他们的运动能力自然会增加，教练会开始对其进行有组织的足球训练。如何针对各种各样的体能因素设计具体的训练手段，将在接下来的章节中为大家介绍。

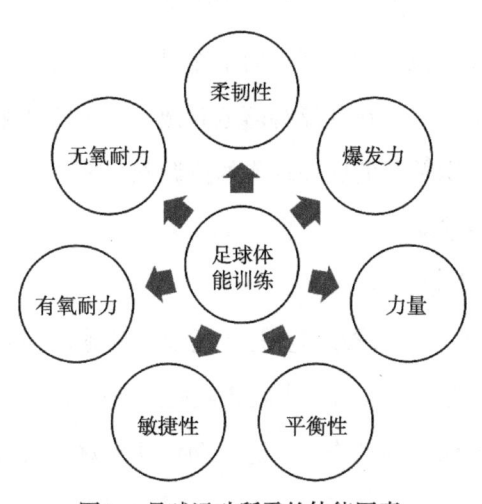

图1　足球运动所需的体能因素

第三节 足球项目的生物力学分析和运动损伤的防治

一、足球项目的生物力学分析

（一）保持身体平衡的力学机制

支撑面积越大，物体的平衡性和稳定性就越好。足球运动员在踢球时，一只脚支撑，另一只脚完成踢球动作。跟双脚支撑相比，单脚支撑的支撑面很小，所以很容易摔倒受伤。足球运动员单脚撑地时一般采用滚动支撑，先用脚跟着地，然后逐渐过渡到脚掌，采用全脚掌着地的方式，同时重心越低，身体的稳定性越好。为了在踢球时保持身体稳定，要尽量把身体重心的高度降下来，在支撑脚落地时做一个缓冲动作。落地缓冲动作主要依靠髋、膝、踝关节的屈伸动作的协调配合来完成。保持身体稳定有利于向各方向灵活移动。

（二）踢球的力学机制

根据动量定理，要将球踢得更远，就要给球施加强大的冲击力，并且触球的时间要尽量短。踢球时，大腿要做后摆动作（髋关节做伸的动作），腿要屈曲（膝关节做屈的动作）。这个动作既高效，又可以加大踢球时的工作距离，拉长了肌肉工作的初长度，提高了肌肉的工作效率。踢球时，大腿带动小腿，加快了髋关节转动的角速度，屈膝的动作拉长了股四头肌，很好地增加了踢球时股四头肌的肌力，从而加快了膝关节转动的角速度，最终表现为加快了球运动时的线速度。

（三）弧形球的力学机制

给静止不动的球一个离心力，使球在空中既有平动又有自转运动。球体表面附近的流体由于有粘性，将随着球体一起转动，形成绕球体的环流层。其环流层的厚薄与球皮的粗糙程度及球体的旋转角速度有关。球向前运动分开空气，形成上、下两个半区，环流层与主流层叠加后，相对于球，上半区的主流层的流向与环流层一致，流速加快，下半区由于主流层与环流层的流向相反，流速将减慢。根据伯努利定律，流速和压强成反比，上半区压强小，下半区压强大，所以下半区作用于球的力大于上半区，从而使球的运动轨迹发生偏转，轨迹便成了一条弧线。

二、足球运动的损伤风险

足球运动损伤常见于下肢，有些可以造成创伤，诸如对腿部直接的冲击，膝关节扭伤或肌肉、肌腱、软骨和骨的过度使用。就致伤原理而言，扭伤和拉伤最为常见。损伤程度轻重不一，其中以严重的半月板、软骨损伤和前交叉韧带撕裂最为常见，需要进行手术治疗。其余包括骨折、软组织顿挫伤、割伤等发生率较低，有些也需要手术干预。过度内翻（崴脚）会损伤踝关节外侧韧带，相应部位出现血肿。轻度扭伤会使运动员无法参加数天内的比赛，重度扭伤则不得不休假1—2个月。急性踝扭伤一般不需要急诊手术治疗，冰敷、休息、支具和理疗（详见RICE原则）足以帮助运动员重返比赛。半月板是股骨和胫骨间具有缓冲作用的软骨类组织。半月板撕裂通常出现在膝关节高强度研磨的情况下。半月板血供分为最外围的红区、最内的白区及中间的红白交界区，其中红区和红白交界区的撕裂会自愈，而白区的撕裂无法自愈。撕裂处会不稳定，随着膝关节的运动，会磨损膝关节软骨，导致骨关节炎过早发生。在足球运动中，内收肌也较容易拉伤甚至撕裂。内收肌损伤一般不需要手术干预，但其自愈的过程中会产生疼痛。保守治疗时需要合理搭配康复运动项目，并配合理疗和药物，以减轻疼痛，早日恢复运动。

三、足球运动损伤的防治

主要有以下几点：

1.一旦发生，暂停比赛，及时评估。

2.队医、教练及运动医学专业医生若在场，应对伤者进行快速评估，决定其能否继续参赛。

3.大多数人的损伤较轻，可以进行短时间的RICE原则处理，然后重返比赛。

4.过劳损伤者可以经过短期休息重返比赛。

5.注意避免忽视潜在的应力性骨折、韧带损伤及头颈部损伤。如果症状加重，应及时就医。

6.只有经过专业评估，得到允许后才能继续参赛。

7.有运动损伤史者，赛前应进行检查，让运动医学专业医生来评估。

8.选择合适的钉鞋和护腿板。

9.赛场草皮差有可能增加损伤风险。

10.选择尺寸合适的合成皮球，真皮球会在浸水后变重，增加头球争顶的危险性。

11.避免用身体要害部位（面、颈、腹、会阴部等）直接撞击高速球。

12. 保持身体水分充足，尽量在口渴前饮水，防止脱水、中暑。

13. 保持正常体重，过轻或超重都有可能增加运动损伤风险。

14. 如果长期不运动，回归赛场前一定循序渐进进行热身，包括进行有氧运动、力量训练和敏捷性训练。

15. 避免过劳损伤，科学训练，量力而行，避免过度劳累。

16. 多与队医、教练及运动医学专业医生交流，获得他们的专业意见。

第二章
青少年足球训练课的准备活动

动作准备的目的：

1.降低受伤风险。2.提高敏捷性、技能，增强力量和表现。3.允许球员在精神上做好准备并专注于当前的比赛。肌肉的僵硬，突然的扭转、转身和伸展会给肌肉和结缔组织造成超过它们所能承受的张力。热身和拉伸活动可以降低拉伤、扭伤和肌肉撕裂的风险，肌肉在预热之后也可以更快地产生能量。一些短时而有效的训练、有效的足球热身可以让球员进入正确的准备状态。

第一节　肌肉激活

肌肉激活指为比赛或训练提供一种高效、系统、有针对性的热身方案，以满足专项练习的特殊需要。肌肉激活重视肌肉与神经系统的结合，重视不同专项技术训练特有的动作模式练习，重视动作模式与专项技术动作的衔接。因此学好神经系统激活方法是做好热身准备活动的前提条件，也是预防运动损伤的有效途径。

一、上肢肌群激活

（一）迷你带双臂前平举扩胸

练习方法：将迷你带套在双手手腕处，双臂前平举；身体保持直立姿势；目视前方。保持双臂间距为25—30厘米，掌心相对，使迷你带保持一定的张力；双臂缓慢地外展，使迷你带逐渐拉长，然后缓慢地恢复至起始位置。此为一次。单侧手臂固定练习同理。

动作要领：上臂用力带动下臂，双臂保持自然伸直状态；腰背挺直，腹部收紧；双脚开立，与肩同宽。

注意事项：动作要缓慢，完整动作持续3—4秒，双臂不可屈曲。

易犯错误：双臂屈曲，恢复至起始动作过快。（图2-1）

图2-1 迷你带双臂前平举扩胸

（二）迷你带双臂上举外展

练习方法：将迷你带套在双手手腕处，双臂上举至头顶位置；身体保持直立姿势；目视前方。保持双臂间距为25—30厘米，掌心相对，使迷你带保持一定的张力；双臂缓慢地外展，使迷你带逐渐拉长，然后缓慢地恢复至起始位置。此为一次。单侧手臂固定练习同理。

动作要领：上臂用力带动下臂，双臂保持自然伸直状态；腰背挺直，腹部收紧；双脚开立，与肩同宽。

注意事项：动作要缓慢，完整动作持续3—4秒，双臂不可屈曲。

易犯错误：双臂屈曲，恢复至起始动作过快。（图2-2）

图2-2 迷你带双臂上举外展

（三）迷你带屈膝提拉

练习方法：将迷你带套在双脚脚底处，双脚开立，比肩略窄，使迷你带保持一定的张力，同时屈髋、屈膝；腰背挺直，腹部收紧；双手拉住迷你带两端，做向上提拉动作，同时双腿逐渐伸直，使迷你带逐渐被拉至最大长度，而后缓慢地恢复至起始位置。此为一次，整个动作持续3—4秒。

动作要领：提拉过程中始终保持腰背挺直、臀部翘起，提拉时双腿逐渐伸直。

注意事项：动作要缓慢，慢上慢下，双腿逐渐自然伸直，始终目视前方。

易犯错误：膝关节超伸，做出弯腰、弓背等错误的代偿动作。（图2-3）

图 2-3　迷你带屈膝提拉

二、下肢肌群激活

肌肉激活练习是对相关的肌腱、肌肉和穴位进行激活和刺激，预先动员身体的本体感觉，通过适宜力度的刺激对身体较为紧张的部位进行唤醒，以节省训练资源。

（一）迷你带直膝大步走

练习方法：身体保持直立姿势，耳、肩、髋、膝、踝在同一条直线上；将迷你带套在双脚踝关节上方，双脚开立，与肩同宽，使迷你带保持一定的张力；同时双腿自然伸直，双臂自然摆动，迈大步向前行走。

动作要领：行走过程中保持上体直立，腹部收紧；目视前方；勾脚尖，大腿带动小腿。

注意事项：行走过程中要始终使迷你带保持一定的张力，脚尖始终朝前，身体成直线移动。

易犯错误：行走过程中可能发生屈膝、身体前倾、重心不稳等情况。（图2-4）

图2-4 迷你带直膝大步走

（二）迷你带直膝侧向走

练习方法：身体保持直立姿势，目视前方；迷你带套在双脚踝关节上方，双脚开立，与肩同宽，使迷你带保持一定的张力；同时双腿自然伸直，以右脚为例，右脚向右侧迈开，身体向右侧移动，随后左脚跟上，移动过程中始终使迷你带保持一定的张力；双臂自然摆动；侧向移动路径成一条直线。左侧同理。

动作要领：侧向移动过程中始终保持身体正直、腹部收紧；下颌微收；脚尖始终朝前。

注意事项：侧向移动过程中臀大肌和大腿外侧肌群发力，身体放松，动作要轻松、协调、自然，要始终使弹力带保持一定的张力。

易犯错误：身体在侧向移动过程中可能发生前倾、重心不稳等情况，双腿也可能因为控制力量不足而屈曲。（图2-5）

图2-5 迷你带直膝侧向走

（三）迷你带侧向屈膝行走

练习方法：将迷你带套在双腿膝关节上方约3厘米处，双腿微屈同时屈髋；臀部翘起，腰背挺直；双脚开立，与肩同宽，脚尖朝前同时目视前方；以右脚为例，右脚向右侧迈开，身体向右侧移动，随后左脚跟上，移动过程中始终使迷你带保持一定的张力，双臂自然摆动；侧向移动路径成一条直线。左侧同理。

动作要领：身体重心降低，同时膝关节不能超过脚尖，脚尖始终朝前，始终使迷你带保持一定的张力。

注意事项：侧向移动时膝关节不要内扣或外翻，不要弓背，保持身体重心的稳定性。

易犯错误：移动过程中出现姿势不稳定、弯腰、弓背等现象。（图2-6）

图2-6 迷你带侧向屈膝行走

（四）迷你带屈膝下蹲

练习方法：将迷你带套在双腿膝关节上方约3厘米处，双脚开立，与肩同宽，脚尖朝前；双臂前平举；目视前方。身体自然下蹲至双腿大、小腿成90度夹角，然后恢复自然直立姿势即完成一次。

动作要领：下蹲时，重心在身体后方，臀大肌此时保持紧张；起身时，臀大肌充分发力使双腿自然伸直。动作过程中腰背挺直，腹部收紧。

注意事项：动作过程中膝关节不能超过脚尖，脚尖始终朝前，膝关节不要内扣或外翻。

易犯错误：下蹲过程中腰背放松，出现弯腰、弓背，膝关节超伸或下蹲时膝关节超过脚尖的现象。（图2-7）

图2-7　迷你带屈膝下蹲

（五）迷你带单腿直膝外展

练习方法：身体保持直立姿势；将迷你带套在双脚踝关节上方，双脚开立，与肩同宽，使迷你带保持一定的张力；同时双腿自然伸直，以右腿为例，左腿作为支撑腿原地不动，右腿向右侧抬起，保持伸直，双腿成30—40度夹角，抬起1—2秒，放下1—2秒。左侧同理。

动作要领：动作过程中保持身体直立、臀肌收紧，大腿外侧肌群充分用力，保持身体稳定。

注意事项：动作不要做得过快，要充分感觉肌肉用力，同时保持支撑腿稳定。

易犯错误：动作过程中身体重心失衡、动作过快等。（图2-8）

图2-8 迷你带单腿直膝外展

（六）迷你带屈膝内收、外展

练习方法：将迷你带套在双腿膝关节上方约3厘米处，双腿微屈同时屈髋；臀部翘起，腰背挺直；双脚开立，与肩同宽，脚尖朝前同时目视前方；双手叉腰；大腿内侧肌群发力使双侧膝关节靠拢，然后大腿外侧肌群发力使双侧膝关节分离；双脚原地不动，保持身体稳定。

动作要领：大腿内、外侧肌群充分发力，使髋关节活动范围增大，同时保持注意力集中，控制好身体姿态。

注意事项：保持膝关节稳定，固定膝关节，动作过程中不要弯腰、弓背。

易犯错误：双脚"内八字"或"外八字"，膝关节没有被充分固定。（图2-9）

图2-9 迷你带屈膝内收、外展

（七）迷你带单腿直膝前后踢

练习方法：身体保持直立姿势；将迷你带套在双脚踝关节上方，双脚开立，与肩同宽，使迷你带保持一定的张力；同时双腿自然伸直，以左腿为例，右腿作为支撑腿原地不动，左腿做前踢动作，保持伸直，左脚脚尖朝前，双腿成30—40度夹角，每一次动作都在3—4秒内完成，保持身体稳定。右侧同理。

动作要领：动作过程中始终保持身体重心的稳定性，始终保持支撑腿和做前后踢的腿伸直。

注意事项：动作过程中身体尽量不要前倾或后仰，双腿自然伸直。

易犯错误：抬起的腿屈曲、身体重心不稳、动作过快等。（图2-10）

图 2-10　迷你带单腿直膝前后踢

（八）迷你带正向行走

练习方法：将迷你带套在双腿膝关节上方约 3 厘米处，双脚前后开立，比肩略宽，脚尖朝前，双腿微屈；腰背挺直；目视前方；后面的腿先做蹬伸动作，向前移动 10—15 厘米，然后前面的腿向前移动 15—20 厘米。

动作要领：移动过程中先移动后面的腿，再移动前面的腿，脚尖始终朝前；双臂自然摆动，使身体直线向前移动。

注意事项：移动过程中不要弯腰、弓背，动作协调，脚尖始终朝前。

易犯错误：双腿的移动顺序混乱，出现弓背现象。（图 2-11）

图2-11 迷你带正向行走

（九）迷你带向前跳

练习方法：将迷你带套在双腿膝关节上方约3厘米处，双脚开立，与肩同宽，使迷你带保持一定的张力；以右腿为支撑腿，准备跳跃时，左腿小腿收起，膝关节朝前，脚尖朝地，右腿微屈，准备发力，向前做跳跃动作，同时摆臂助力；落地时左脚落地，右腿收起。依次向前跳跃。

动作要领：起跳时要摆臂，身体可以略微前倾，在空中换腿落地，落地要有缓冲。

注意事项：身体不要过分前倾，保证落地的稳定性，有空中换腿动作。

易犯错误：落地没有缓冲动作、身体过于僵硬、落地时膝关节超过脚尖。（图2-12）

图2-12 迷你带向前跳

三、核心区肌群激活

（一）平板支撑（四点支撑）

练习方法：双肘撑地，掌心相对，下臂平行，上、下臂成90度夹角；双脚脚尖撑地，双脚平行，双腿自然伸直，身体成平板状，几乎与地面平行，从侧面看，耳、肩、髋、膝、踝成一条直线；目视正前方；腹部收紧，保持静力性支撑。

动作要领：腹部收紧，感觉腹部肌群充分用力；臀大肌收紧。

注意事项：动作练习时间不宜过长，一般30秒至1分钟为一组。

易犯错误：臀部翘起，弓背动作容易对腰椎造成不必要的损害。（图2-13）

图 2-13　平板支撑（四点支撑）

（二）平板支撑（三点支撑）

练习方法：双肘撑地，掌心相对，下臂平行，上、下臂成90度夹角；双脚脚尖撑地，双脚平行，双腿自然伸直，身体成平板状，几乎与地面平行，从侧面看，耳、肩、髋、膝、踝成一条直线；目视正前方；腹部收紧，保持静力性支撑；与此同时，右腿抬起，右脚脚尖朝地，离地约15厘米，保持15—30秒。左侧同理。

动作要领：腹部收紧，感觉腹部肌群充分用力；臀大肌收紧。

注意事项：动作练习时间不宜过长，一般30秒至1分钟为一组；脚尖朝地，保持身体稳定。

易犯错误：臀部翘起，弓背动作容易对腰椎造成不必要的损害，抬起的脚脚背朝地。（图2-14）

图2-14 平板支撑（三点支撑）

（三）侧桥支撑

练习方法：侧卧在瑜伽垫上，身体充分伸直；右肘撑地，上、下臂成90度夹角；双脚并齐，双腿伸直，腰背发力使身体保持平直，耳、肩、髋、膝、踝成一条直线；目视身体正前方；腹部收紧，保持静力性支撑。左侧同理。

动作要领：腹部收紧，感觉腹部肌群充分用力；臀大肌收紧。

注意事项：动作练习时间不宜过长，一般30秒至1分钟为一组。

易犯错误：臀部翘起导致身体重心不稳，弓背动作容易对腰椎造成不必要的损害。（图2-15）

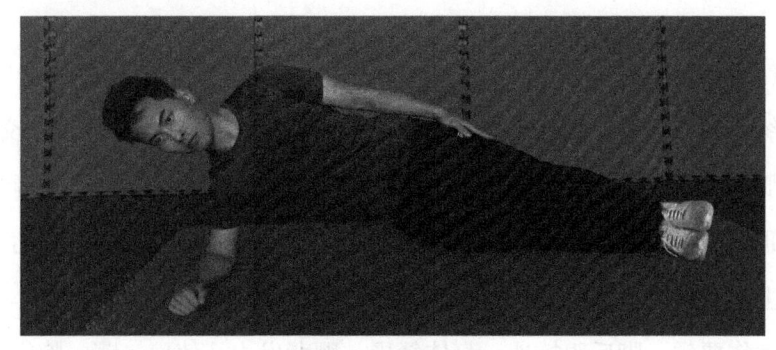

图2-15 侧桥支撑

(四)侧桥外侧腿屈膝

练习方法：侧卧在瑜伽垫上，身体充分伸直；右肘撑地，上、下臂成90度夹角；双脚并齐，双腿伸直，腰背发力使身体保持平直，耳、肩、髋、膝、踝成一条直线；目视身体正前方；腹部收紧，保持静力性支撑；与此同时，左腿屈膝，脚尖勾起，大、小腿成90度夹角。左侧同理。

动作要领：腹部收紧，感觉腹部肌群充分用力；臀大肌收紧；上面的腿屈膝时，膝关节正对前方，大腿与地面平行。

注意事项：动作练习时间不宜过长，一般30秒至1分钟为一组。

易犯错误：臀部翘起导致身体重心不稳，弓背动作容易对腰椎造成不必要的损害，动作过程中可能忘记勾脚尖。（图2-16）

图2-16 侧桥外侧腿屈膝

(五)背桥支撑、双脚支撑

练习方法：平躺在瑜伽垫上；双臂放松，放在身体两侧或在胸前交叉；收小腿，使大、小腿成90度夹角，双腿平行，双脚脚后跟撑地；挺起腹部，顶髋，使肩、髋、膝成一条直线，静力性支撑15—30秒。在此动作基础上抬单侧腿同理。单侧腿向上抬时，脚尖勾起。

动作要领：脚后跟撑地，身体舒展；腰背发力，使肩、髋、膝成一条直线。

注意事项：充分顶髋，脚后跟撑地，大、小腿成90度夹角。

易犯错误：做出顶髋不充分、全脚掌撑地、肘部撑地等错误动作。（图2-17）

图2-17 背桥支撑、双脚支撑

第二节　动态拉伸

动态拉伸是通过特定的动作模式有效拉伸身体运动系统的肌肉、肌腱和韧带，加大关节的运动幅度，增强人体的本体感受能力，提高运动系统中各要素的整体协同工作能力，以及人体各运动环节运动链的功效，有效预防运动损伤。

一、下肢的动态拉伸练习

（一）足跟、足尖过渡走

练习方法：身体保持直立姿势，自然向前走，双臂自然摆动；走动时，脚后跟先着地，而后过渡到脚尖，过渡到脚尖时，脚尖立起并保持半秒，而后继续向前走。

动作要领：走动时双脚不要腾空，自然过渡；脚后跟着地时，双腿充分伸直。

注意事项：过渡到脚尖时要记得立起脚尖并保持半秒。

易犯错误：做出脚掌着地的错误动作。（图2-18）

图2-18　足跟、足尖过渡走

（二）抱膝提踵

练习方法：身体保持直立姿势；左腿支撑，抬起右腿膝关节；双手抱住右腿小腿，向上提拉，使膝关节向上；与此同时，左脚脚尖充分立起，保持1—2秒，最后右腿向前迈。换腿进行。

动作要领：单腿站立时要保持身体稳定；抱膝充分提拉的同时，脚尖勾起。

注意事项：身体直立，腰背收紧，动作要稳，保持1—2秒。

易犯错误：出现脚尖朝下、身体前倾、重心不稳等现象。（图2-19）

图2-19 抱膝提踵

（三）行走式单侧股四头肌动态拉伸

练习方法：身体保持直立姿势；左腿支撑，右腿大、小腿充分折叠，右手握住右脚踝关节，向后上方提拉，左臂向上充分伸直，使股四头肌被充分拉伸；向前行走。换腿进行。

动作要领：提拉折叠腿时，大腿放松，不要对抗用力，身体可以略微前倾。

注意事项：腰背挺直，腹部收紧；提拉时保持1—2秒即可；始终保持双腿大腿平行。

易犯错误：身体过于前倾、大腿过于紧张、在拉伸时对抗用力。（图2-20）

图 2-20　行走式单侧股四头肌动态拉伸

（四）单侧盘腿上抬

练习方法：身体保持直立姿势；右腿支撑，自然伸直，左腿大、小腿成90度夹角；左手护住左腿膝关节，右手拉住左脚踝关节，使小腿与地面平行，保持1—2秒。换腿进行。

动作要领：小腿要与地面平行，一手护住膝关节，一手拉住踝关节。

注意事项：身体保持直立姿势，腰背挺直，腹部收紧。

易犯错误：出现支撑腿屈曲、身体前倾、重心不稳等现象。（图2-21）

图 2-21　单侧盘腿上抬

二、全身动态拉伸练习

（一）弓步转体

练习方法：左腿在前，成弓步；右手扶着左腿膝盖，左臂前平举，向后方转动，转动角度约为180度；目光随左臂走，直至左臂与右腿平行；恢复至起始位置。右侧同理。

动作要领：保持上体挺直，转动动作完成时间约为2秒，后面的腿充分伸直。

注意事项：转动速度不应过快，目光随手臂走，膝关节不要超过脚尖。

易犯错误：做弓步动作时出现膝关节超过脚尖、转动不充分等现象。

（图2-22）

图 2-22　弓步转体

（二）侧向弓步下蹲

练习方法：身体保持直立姿势，双脚开立，与肩同宽，抬头，挺胸；向身体的一侧迈出一大步，保持脚尖朝前，成侧弓步，另一条腿伸直；身体逐渐下蹲，在最低点稍事停留；然后支撑腿脚后跟发力，回到起始位置。换腿进行。

动作要领：身体重心稍向后移，保持身体平衡。

注意事项：腰背挺直，腹部收紧。

易犯错误：做出身体过分前倾的错误动作。（图 2-23）

图2-23 侧向弓步下蹲

（三）交叉步拉伸

练习方法：身体保持直立姿势，双脚开立，与肩同宽；左脚向右脚后方移动，位于右脚后方，双脚脚尖朝前，双腿交叉；与此同时，做双臂体前屈动作；然后恢复至直立姿势。换腿进行。

动作要领：双脚脚尖始终朝前，后面的腿大、小腿成90度夹角，前面的腿微屈。

注意事项：前面的腿微屈，脚尖朝前。

易犯错误：发生交叉步幅度过小、拉伸不充分的情况。（图2-24）

图2-24 交叉步拉伸

（四）蹲起体前屈拉伸

练习方法：双脚开立，与肩同宽；身体自然下蹲，保持腰背挺直，双腿大、小腿成90度夹角；双手分别抓住同侧脚脚尖；双腿逐渐伸直，保持双手抓住双脚脚尖的姿势，感受股后肌群被充分拉伸。

动作要领：下蹲时，重心后移；起身时，保持体前屈的姿势1—2秒。

注意事项：腰背挺直，腹部收紧，目视前方。

易犯错误：做出膝关节超过脚尖、弯腰、弓背等错误的代偿动作。（图2-25）

图2-25　蹲起体前屈拉伸

（五）弓步屈肘下压

练习方法：右腿在前，成弓步；右臂上、下臂成90度夹角，右肘下压至脚尖，左手撑地，保持身体稳定，胸部贴着右膝，双脚脚尖朝前，静力性保持2秒。换腿进行。

动作要领：目视前方，身体充分下压，充分打开髋关节，双脚脚尖朝前。

注意事项：膝关节不要超过脚尖，后面的腿尽量伸直。

易犯错误：做出膝关节超过脚尖等错误的代偿动作。（图2-26）

图2-26　弓步屈肘下压

（六）"最伟大的拉伸"

练习方法：保持上体直立；右脚向前跨出一步，成弓步；左手撑地，右肘下压至右脚脚后跟内侧，保持6秒，同时右臂向上翻转并外展，指尖朝上，与左臂成直线，保持6秒；双手撑地将身体推起，双腿伸直，勾脚尖拉伸前面的腿股后肌群，保持6秒；屈膝至弓步，恢复至站立姿势。换腿进行。

动作要领：弓步时，膝关节不要超过脚尖，大腿与地面平行；双手撑地将身体推起，上体尽量贴近前面的腿。拉伸5—10次。

注意事项：异侧手撑地，同侧肘下压。

易犯错误：出现膝关节超过脚尖、手脚位置错误等现象。（图2-27）

图2-27　"最伟大的拉伸"

（七）手足向前走拉伸

练习方法：身体保持直立姿势，双脚全脚掌紧贴地面；双手触地，保持站立体前屈姿势；双手交替向前爬行至最大限度，双手固定，双脚交替向前小步行走；最后恢复至起始姿势。

动作要领：练习过程中，保持双腿和腰背平直，双脚前行时要用力蹬地。

注意事项：双脚前行时要用力蹬地，双脚和双手向前移动时幅度要小，每次移动10厘米左右。

易犯错误：做出弓背等错误的代偿动作。（图2-28）

图2-28　手足向前走拉伸

第三节　动作整合和神经激活

一、动作整合

动作整合练习指按照一定的时间、空间和顺序进行的一系列协调组合的动作模式。通过动作整合练习，把身体不同节段和关节连在一起，形成一个整体的运动链，提高身体动力和能量的传递效果，提升人体的整体运动表现，提高人体各环节运动链整体运动效果。在准备活动中，在完成肌肉动员和动态拉伸练习后，进行动作整合练习，为人体完成多种动作和进行复杂而多变的运动做好准备，减少并预防运动损伤。

（一）正向高抬腿大步走

练习方法：摆动腿抬起，大腿与地面平行，小腿与地面垂直，摆至最高点迅速向下压，全脚掌着地；另一条腿跟上，动作相同，同时摆臂向前移动，每次向前移动半个脚掌的距离。

动作要领：支撑腿充分伸直，上体正直，摆动腿摆至大腿与地面平行。

注意事项：积极摆臂，大腿不要抬得过高或过低，勾脚尖，全脚掌着地。

易犯错误：大腿抬得过高或过低。

推荐适用范围：在田径类短跑和跳跃、球类、武术、冰雪等项目主教

学课准备活动中，练习1—2组，每组行走10—15米。（图2-29）

图2-29　正向高抬腿大步走

（二）侧向高抬腿大步走

练习方法：摆动腿抬起，大腿与地面平行，小腿与地面垂直；带动另一条腿向该侧移动，摆至最高点迅速向下压，全脚掌着地；同时，另一条腿迅速蹬伸，为身体移动提供动力，动作要求与摆动腿相同。

动作要领：支撑腿用力蹬伸、伸直，上体正直，摆动腿摆至大腿与地面平行。

注意事项：积极摆臂，大腿不要抬得过高或过低，勾脚尖，全脚掌着地。

易犯错误：大腿抬得过高或过低。

推荐适用范围：在田径类短跑和跳跃、球类、武术、冰雪等项目主教学课准备活动中，左、右侧各练习1组，每组侧向行走10—12米。（图2-30）

图 2-30　侧向高抬腿大步走

（三）后退高抬腿大步走

练习方法：摆动腿抬起，大腿与地面平行，小腿与地面垂直，摆至最高点迅速向下压，全脚掌着地；另一条腿动作要求与摆动腿相同，同时摆臂向后移动，每次向后移动半个脚掌的距离。

动作要领：支撑腿充分伸直，上体正直，摆动腿摆至大腿与地面平行。

注意事项：积极摆臂，大腿不要抬得过高或过低，勾脚尖，全脚掌着地。

易犯错误：大腿抬得过高或过低。

推荐适用范围：在田径类短跑和跳跃、球类、武术、冰雪等项目主教学课准备活动中，练习 1—2 组，每组行走 10—15 米。（图 2-31）

图2-31　后退高抬腿大步走

（四）向前高抬腿跳步走

练习方法：动作要领与正向高抬腿大步走一致，支撑腿充分伸直并跳起，脚尖离开地面。

动作要领：支撑腿充分伸直，上体正直，摆动腿摆至大腿与地面平行；支撑腿蹬伸与摆动腿摆动结合，协调用力。

注意事项：身体正直并向上跳起，蹬摆结合；支撑腿蹬伸时伸直，摆动腿摆动时勾脚尖。

易犯错误：蹬伸不充分，支撑腿的脚尖未离开地面。

推荐适用范围：在田径类短跑和跳跃、球类、武术、冰雪等项目主教学课准备活动中，练习1—2组，每组行走10—15米。（图2-32）

图 2-32　向前高抬腿跳步走

（五）侧向高抬腿跳步走

练习方法：动作要领与侧向高抬腿大步走一致，支撑腿充分伸直并跳起，脚尖离开地面。

动作要领：支撑腿充分伸直，上体正直，摆动腿摆至大腿与地面平行；支撑腿蹬伸与摆动腿摆动结合，协调用力。

注意事项：身体正直并向上跳起，蹬摆结合；支撑腿蹬伸时伸直，摆动腿摆动时勾脚尖。

易犯错误：蹬伸不充分，蹬伸腿的脚尖未离开地面。

推荐适用范围：在田径类短跑和跳跃、球类、武术、冰雪等项目主教学课准备活动中，左、右侧各练习1组，每组侧向行走10—12米。（图2-33）

图 2-33　侧向高抬腿跳步走

（六）行进间直腿跨步

练习方法：摆动腿伸直、抬起然后下压，配合摆臂带动身体向前行进。

动作要领：上体正直；支撑腿充分伸直，摆动腿伸直并快速下摆。

注意事项：摆动腿伸直，勾脚尖，脚掌着地。

易犯错误：前进时摆动腿屈曲。

推荐适用范围：在田径类短跑和跳跃、球类、武术、冰雪等项目主教学课准备活动中，练习1—2组，每组行走10—12米。（图2-34）

图2-34　行进间直腿跨步

（七）膝关节外展跳跃

练习方法：沿跑道进行跳跃跑动，膝关节上抬至大腿与地面平行，从身体中线向身体外侧摆腿。

动作要领：大腿抬至与地面平行时向外侧摆动，支撑腿前脚掌蹬地；膝关节摆出后迅速缩回，身体不要蜷缩；手臂动作要协调配合身体。

注意事项：身体不要左右摇晃，保持动作协调。

易犯错误：身体重心不稳，产生摇晃。（图2-35）

图 2-35　膝关节外展跳跃

二、神经激活

神经系统是参与发出指令、控制并协调全身各种活动的主要系统。在做准备的最后阶段，需要对神经系统进行充分激活，以提高中枢神经系统的兴奋性、快速反应能力、神经—肌肉控制能力和神经—肌肉募集能力。神经激活练习是上肢和下肢高频率、快速、有节奏地运动的动作模式，其作用是加强运动中枢系统的兴奋并抑制快速交替转换，提高神经运动中枢对骨骼肌肉系统的支配。在准备活动中，完成神经激活练习后就可以进行专项运动。

（一）单腿交替原地练习

练习方法：双脚开立，与肩同宽；上体挺直，肩胛骨向后收紧；微屈膝，但膝关节不超过脚尖；双脚交替点地，每次练习10—20次或进行10秒点地练习。

动作要领：双脚前脚掌交替快速离地和着地，注意力集中。

注意事项：脚尖点地而不是摩擦地面，速度要快，频率要高；在保证前者的前提下提高动作质量。

易犯错误：膝关节超过脚尖或脚掌蹭地。

推荐适用范围：在田径、球类、武术、冰雪、体操、技巧等项目主教学课准备活动中，每次练习10—20秒。（图2-36）

图2-36　单腿交替原地练习

（二）双腿原地练习

练习方法：双脚开立，与肩同宽；上体挺直，肩胛骨向后收紧；微屈膝，但膝关节不超过脚尖；双脚同时点地，每次练习10—20次或进行10秒点地练习。

动作要领：双脚前脚掌同时快速离地和着地，注意力集中。

注意事项：脚尖点地而不是摩擦地面，速度要快，频率要高；在保证前者的前提下提高动作质量。

易犯错误：膝关节超过脚尖或脚掌蹭地。（图2-37）

图 2-37 双腿原地练习

（三）双脚快速前后踏跳

练习方法：与"双腿原地练习"方法相同，踏跳过程中做前后快速移动。

动作要领：动作频率要尽可能地高，膝关节不要超过脚尖，同时保持上体正直，感受臀大肌的用力。

注意事项：脚尖点地而不是摩擦地面，速度要快，频率要高；在保证前者的前提下提高动作质量。

易犯错误：膝关节超过脚尖或脚掌蹭地。（图 2-38）

图 2-38 双脚快速前后踏跳

（四）双脚左右踏跳

练习方法：与"双腿原地练习"方法相同，踏跳过程中做左右快速移动。

动作要领：动作频率要尽可能地高；同时保持上体正直，感受臀大肌的用力。

注意事项：脚尖点地而不是摩擦地面，速度要快，频率要高；在保证前者的前提下提高动作质量。

易犯错误：膝关节超过脚尖或脚掌蹭地。（图2-39）

图2-39　双脚左右踏跳

（五）原地单脚交替踏步

练习方法：练习开始时，双脚做快速交替踏步动作；与此同时，双臂做与下肢频率不同的前后摆动，保持上体稳定。该练习可以根据具体情况做原地、前后、左右及多方向的移动。

动作要领：双脚依次着地；脚步移动要尽可能地快，双臂摆动要尽可能地慢。

注意事项：脚尖点地而不是摩擦地面，速度要快，频率要高；在保证前者的前提下提高动作质量。

易犯错误：膝关节超过脚尖或脚掌蹭地。（图2-40）

图2-40 原地单脚交替踏步

（六）原地快速转髋

练习方法：保持上体稳定；一只脚在前，另一只脚在后，双脚快速交替蹬地，同时转髋。

动作要领：保持上体稳定，臀大肌收紧；听到口令后做快速转髋动作，在转髋过程中仍保持上体稳定，不要左右扭腰。（图2-41）

图 2-41　原地快速转髋

（七）绳梯练习

练习方法：在基本姿势的基础上做各种高频率的变换动作练习。练习时保持上体稳定，臀大肌要做到主动、快速发力。

动作要领：注意手脚的协调配合，保持抬头、挺胸。（图 2-42）

图 2-42　绳梯练习

第三章

青少年足球运动员力量训练

第一节 力量素质影响因素

一般来说，力量是人体神经肌肉系统工作时克服或对抗阻力的能力。力量是人日常生活和活动表现的基础素质，而力量训练是身体运动功能训练的重要组成部分。现代身体功能训练揭示，在训练和比赛过程中，所有运动技术都是通过动作来表现的，身体姿态的控制和动作质量的表现则以躯干支柱力量为基础。很多人认为青少年运动员的力量训练是不安全、不合适的。然而，如果选择适当的运动，并适当地监督，这种形式的训练可以说对年轻的足球运动员非常有利，因为它可以增加肌肉、骨骼和韧带的力量。事实上，科学研究表明，青春期前足球运动员的力量训练可以提高他们在速度、跳跃等力量相关测试中的表现。

然而，青春期前或青少年运动员在任何时候都不应该参加高强度的运动，如深度跳跃或单腿跳过障碍，因为这些运动需要大量的下半身力量，并可能导致严重的损伤。对这些年龄组的运动员来说，学习正确的跳跃和着地技术是首要任务。这些运动员应该从低强度的运动开始，如双腿垂直跳跃、跳绳或跳到一个低高度的物体上。只有在学习了适当的测力技术，发展了适当的力量基础之后，运动员才能参加中等水平的训练。年轻运动员每周可以进行1—2次力量训练，但每次训练之间必须至少休息3天，且进行2组练习（每组2或3次）就足够了。然而，与年龄稍大的球员相比，年轻球员的进步应该更加缓慢。躯干支柱力量的训练既是提高力量的有效手段，也是提高躯干对四肢运动控制能力的有效手段。躯干支柱力量训练是身体运动功能训练的核心内容，是对所有动作控制的一种整合。加强躯干支柱力量训练不仅可以降低躯干运动的风险，还可以提高躯干动作的效率、躯干动力链传递的效率，促进能量的高效传递和转移。由此可见，加强力量训练，尤其是躯干支柱力量训练是极其重要的。任何运动项目都不是依靠某一单一的肌群就能完成的，肌肉整体做功、协同配合才能有更好的运动表现，而要达到这些标准，躯干支柱力量不容忽略，它起着稳定重心、环节发力、传导力量的作用，是整体发力的主要环节。

目前我国校园足球运动员力量训练有以下几个误区：

1.训练强度大，针对性不足，效果不佳。

2.训练手段单一，训练过程枯燥、乏味。

3.动作模式不正确，伤病频率较高。

4.过度重视下肢力量训练，缺乏对上肢及躯干支柱力量的认识。

在世界范围内，我国的校园足球身体运动功能训练还处于落后的水平，对我国校园足球运动员及教练员来说，迫切需要一套成熟的身体运动功能训练体系，这是支撑我国足球后备力量的培养不可或缺的重要因素。本节以上肢及躯干支柱力量训练为重点内容，结合学生生长、发育的特点，设计以克服自身体重或以小重量为主的训练方法，减少负荷过大引起的损伤。练习动作的设计和练习器材的选择意在激起运动员的练习兴趣，发挥运动员的主观能动性，为校园足球运动员的力量训练提供新的思路。力量是爆发力和速度的基础，足球运动员也需要力量来抵挡对手的挑战。职业足球运动员往往没有美国足球运动员或橄榄球运动员那样的绝对力量，太大的体重会降低他们的敏捷性和速度。相比于美式足球，有氧运动和力量耐力在足球运动中发挥着更重要的作用。测量绝对强度最常用的方法是确定一个重复最大值。通常，卧推用于上半身，压腿用于下半身。

在足球运动中，可以说相对力量比绝对力量更重要，相对力量就是根据体重调整的绝对或最大力量。一个体重140磅的运动员，他的腿部能承受280磅的力量；可以说他比一个腿部同样能承受280磅的力量，但是体重165磅的运动员有更大的相对力量。如果一个运动员的上肢能卧推自己的体重，并且在起身时腿部能抬起自己体重的二倍，他就有很好的相对力量。当然，这是一个粗略的测量。足球运动员的四头肌往往发育得很好。四头肌的力量大约是上肢、腿筋肌群的二倍，但在一些球员中，这种差异可能增加。

一、运动单位的数量

用两只手搬起一块石头总比用一只手觉得容易。简单来说，神经元就是"班长"，它能支配的肌纤维就是"士兵"，在运动中调动的"班长"和"士兵"越多，产生的力量就越大。

运动单位即一个运动神经元和其能支配的所有肌纤维组成的肌肉收缩的基本单位。

二、肌纤维的收缩初长度

肌肉在适当的长度下产生的肌力最大，肌肉发力距离过长或过短都会影响肌力。另外，肌肉被拉长后立即收缩，远比拉长后隔一段时间再收缩产生的肌力大，这也是原地蹲下后立即起跳比一段时间后起跳跳得高的原因。

三、肌肉的横截面积

一般来说，强壮的人要比瘦弱的人力量大，肌肉横截面积的增加直接影响了肌肉储存的能量和肌纤维的数量。肌肉能量越多，肌纤维做的功就越大，而且肌纤维作为运动单位之一，它的数量也是决定力量素质的因素。

四、良好的柔韧性

力量与柔韧性是分不开的，良好的柔韧性有助于力量的发挥和提高。所以平时要多拉伸，每次训练后注意放松，可以让肌肉得到良好的恢复和发展。

第二节　足球项目专项力量训练设计

一、不同时期的足球力量训练计划

在足球力量训练计划中，从长远的角度考虑是至关重要的。即使每周只做1次举重训练，也应该在整个赛季中不断调整。可以这么说，着眼于全局将帮助了解如何将各种具体的训练计划结合在一起，这也解决了在几次训练中尝试满足所有需求的问题，除此之外别无他法。我们可以把一个赛季、一个足球力量训练计划分成以下几个可管理的阶段：

（一）非赛季：建立功能性力量基础

足球与其他运动一样，对身体有很多特殊的要求。例如，大多数球员用相同的运动模式踢腿，每年进行无数次，因此，他们的一些肌肉比其他肌肉发达，有些关节承受的压力比其他关节大。这个阶段的目标是使关节、肌肉、韧带和肌腱为后续阶段更紧张的工作做好准备，加强未充分使用的稳定肌的训练，平衡身体左右两侧，纠正屈肌和伸肌的平衡（例如，足球运动员因重复踢球而导致四头肌过度发达，跟腱受伤在比赛中较为普遍）。足球力量训练应该集中在核心稳定性训练上。这是一种越来越受欢迎的训练方式，腹部和下背部对足球运动员来说都是力量中心。每一个扭转、转弯、停止和开始的动作都有核心的支撑，它能让上半身和下半身保持凝聚力，最大限度地减少冲击和压力。这对于任何足球力量训练计划都是最重要的阶段，然而大多数运动员对此不屑一顾。对年轻球员来说，这种个阶段尤为重要，在这一阶段奠定的基础，实际上决定了在随后阶段形成的力量。更重要的是，如果没有这一阶段，短期和长期的伤害将变得更有可能。

（二）休赛季/季前赛早期：发展最大力量

有了良好的基础，可以说就完全准备好进入第二阶段了。这个阶段应该比其他阶段使用更高的负荷，目标是开发尽可能大的力量。因为力量是我们的整体结果，所以先发展力量，然后将其转化为足球特有的力量具有重要的意义。我们的目标是在赛季开始前完成这个阶段，这样季前赛的最后阶段的训练可以集中在力量和耐力训练上。

（三）季前赛后期：提高肌肉力量和力量耐力

在身体各方面已经准备得很好，并且已经建立了坚实的力量的基础上，这个阶段的足球力量训练的目标是把力量转化成足球特有的力量和肌肉耐力。足球是为数不多的几个对爆发力和力量耐力要求大致相当的运动之一。这一阶段的力量训练和循环训练应该取代举重训练，并且会持续4—6周。

（四）赛中：发展耐力

要成为一个全面发展的运动员，必须接受自身将失去少量的最大力量来发展更有竞争力的力量的事实，但这样做可以使我们成为更好的球员。在赛季中，我们的目标是保持在赛季前艰苦时期取得的成绩，而不是过度训练。最好的训练形式之一是竞争性的比赛，所有其他的训练课程都以它为基础。在足球力量训练中，这个竞争季节可以持续9个月，所以我们应该把力量训练分成更小的周期，例如，每个周期为6—8周。

力量训练计划是由多个要素组成的。这些要素包括练习手段的选择、练习的顺序，以及训练单元的结构、训练强度、训练量（组数与重复次数的总和）、间歇时间、重复动作的速度、训练频次。改变其中的一个或多个要素都会对训练的刺激作用产生影响。因此，合理安排抗阻练习，就要针对特定的目标控制好各个要素。

二、力量训练的目标

（一）发展基本力量

基本力量仅仅指我们有多强壮。这是一个相对的概念，通常用体重来表达。足球运动的第一个目标是发展基本力量，这将为更复杂的训练方法提供力量基础，同时提高身体的整体工作能力。如果没有坚实的基础，身体将无法从更严格的训练方法（如多谱练习）中受益，而且由于游戏和每周训练课对身体的要求很高，身体更有可能受伤。

在建立基本力量时，一个主要的优先事项是发展核心力量。核心力量几乎涉及足球场上的每一个动作，核心力量差将导致动作效率低下。强大的核心对于稳定，以及发展良好的姿势和平衡至关重要，这在足球运动中是必不可少的，特别是对于速度和与行动有关的运动。

在核心力量得到发展之后，选择的练习必须是功能性的或运动特定的练习，反映足球的运动模式（例如冲刺或蹲）。

（二）发展相对力量

相对力量的组成部分经常被忽视，但对于整体力量的发展至关重要。高水平的相对力量对于良好的减速和制动能力尤其重要，是敏捷性的重要组成部分。

可以通过缓慢而有控制的运动来发展相对力量。运动员在蹲下、弓步或向上推的过程中降低自己的重心其实是一个离心的过程。可以让运动员做一些发展相对力量的动作（如下蹲、单腿下蹲、弓步、侧弓步、俯卧撑等）5秒，然后用力回到起始位置；也可以跳跃，在落地后尝试减缓下降。

（三）发展最大力量

最大力量指肌肉群在一次肌肉收缩过程中可以产生的最大力量。进行最大力量训练需要举起非常重的物体，只能由训练有素、经验丰富的球员完成。虽然发展最大力量有利于改善与力量相关的足球运动（如跳跃、加速等），但它对于所有级别的比赛都不是必需的。

（四）发展力量耐力

足球运动员的终极力量目标应该是发展力量耐力。力量耐力指肌肉在很长一段时间内产生力量的能力。力量耐力是唯一具有疲劳成分的力量部件。在足球这样的运动中，优秀的力量耐力是必不可少的，需要球员在整场比赛中反复进行高强度的动作。许多教练试图把发展力量耐力作为力量发展的第一阶段。然而，如果没有基本水平的力量，就无法充分发展力量耐力。

三、肌肉的纤维类型的比例

肌纤维分为红肌纤维和白肌纤维。红肌纤维力量小，收缩慢，耐力强；白肌纤维力量大，收缩快，但耐力差。所以红肌纤维比例高的人适合从事越野跑、马拉松等对耐力要求较高的运动，白肌纤维比例高的人更适合跳远、短跑等对速度和力量有更高要求的运动。力量素质与很多方面都有关，而且我们在生活中，很多时候都需要具备较好的力量素质。

四、练习手段的选择

在抗阻训练过程中选择的练习手段对提高竞技能力和生理适应能力都起着极其重要的作用。从生物力学的角度出发，可以通过肌肉收缩的类型、关节活动的类型及练习的运动链形式来确定各种练习。在选择练习时，体能教练还需要考虑一些实际问题，比如选择的器材、采用单侧还是双侧进行练习。所有的练习都是通过肌肉向心收缩、离心收缩和等长收缩的方式完成的。每一次动态重复动作都包含了离心收缩（下落阶段或肌肉拉长）、一次向心收缩（抬/举起阶段或肌肉收缩）模式和一次等长肌肉动作（静态阶段或肌肉长度无变化）。从生理学的角度来讲，离心收缩单位肌肉横断面产生更大的力，参与的肌纤维数量较少，能耗也较少，造成的肌肉损伤较大。离心收缩还比向心收缩和等长收缩更有利于肌力增长。此外，当处在力竭离心收缩模式时，其动态力量的提高量也更大。出于这些原因，一些高水平的举重运动员往往采用力竭离心收缩模式的训练。大部分抗阻训练的组数指以向心收缩动作模式来完成练习的组数，坚持是设计组数时需要考虑的首要因素，换言之，坚持是决定该练习效率的关键。由于向心收缩模式是动作全过程重复次数的限制因素（这在抗阻训练中是最常见的），重量的选择最终取决于能够将多大的重量举过该向心收缩模式的坚持区。例如，在深蹲练习过程中，大腿在刚好超过与地面平行的位置到达该练习当中最困难的点。一旦越过了该坚持区，在剩下的动作范围内就会比较轻松地以向心收缩来克服重量了。因此，动作范围的其他区域，包括向心收缩模式阶段，可能都不会受到最佳训练刺激。

重物的反方向力或由同伴施加的反方向力是两种增强离心收缩效果的训练方式。这两种方式能够给神经、肌肉纤维不同的负荷刺激，并给增大力量和体积的肌肉提供全新的刺激。但是，应当小心使用大负荷离心收缩类训练（如每次训练课只做几组持续时间为4—6周的训练），以降低肌肉的过度损伤和训练过度而受伤的风险。还有一种大负荷离心收缩训练采用中、小重量进行双侧对称练习，然后在离心阶段仅用单侧肢体。例如，运动员可以进行双腿的膝关节伸展，随后只用一条腿承受重量，每次重复动作或做完每一组动作，双腿都轮换一次。这些离心收缩训练方式可以为骨骼肌提供极大的超负荷刺激。

等长肌肉收缩在抗阻练习中表现出以下特色：1.不同肌群的稳定作用能保持身体姿势，对抗外力；2.介于练习中的主动肌的离心收缩和等长收缩；3.在握紧重物时产生；4.动作范围的特定区域中有特定的练习动作。例如静态俯撑练习体现的就是肌肉等长收缩的动作模式。要克服重力作用，就需要躯干肌群强烈收缩。在杠铃深蹲练习中，上半身和躯干以等长方式保持稳定，以便在下蹲和起身过程中保持高举杠铃的姿势。手指和腕部肌肉的等长收缩对握紧重物起着非常重要的作用（尤其是在提拉练习中）。握力训练很大程度上取决于肌肉等长收缩动作模式。在做引体向上时，可将增强肌肉等长收缩作为练习的主要目标，例如举到最高位置并保持背部和手臂肌肉群做一定时间的等长收缩。该动作可以作为增强特定动作幅度区的力量和肌肉耐力的专项练习。

高级抗阻训练计划可采用一种"功能性等长练习"的等长收缩类训练。功能性等长练习需要将杠铃架上的杠铃提起几英寸高，直至其顶住架子上的销钉，随后继续以最大等长收缩做推或拉的动作，并保持2—6秒。功能性等长练习可以在动作范围的任何区域内进行，但在靠近艰难区进行时最有效。这是一种已被采用多年的有效的力量训练手段（针对该练习的薄弱点）。一些针对功能性等长收缩的常见练习有仰卧推举、挺举、深蹲和抓举。

（一）多关节参与的练习

有两种常见的抗阻练习：针对单关节的练习和针对多个关节的练习。单关节练习表现为对一个关节或主要肌群施加压力，多关节练习则是对多个关节或主要肌群施加压力。单关节和多关节练习对提高肌肉力量都很有效。根据运动员的情况，任选一种练习都可以针对特定的运动项目来进行。单关节（如膝等）练习常针对特定肌群的力量进行练习。由于涉及的技术和技能水平较低，这类练习风险较小。在神经激活方面，多关节练习（如仰卧推举、坐姿推举、深蹲等）技术相对复杂。这类练习一直被认为是发展肌肉力量最有效的方法，因为经常进行多关节练习的运动员能够举起更大的重量。

多关节练习可以被细分为基础力量练习和举重练习。基础力量练习至少包括两到三个大肌群，举重练习（如奥运会举重及其变型项目）则涉及大部分大肌群。举重是发展肌肉爆发力最有效也是最复杂的练习，因为举重需要极大的爆发力和全身的快速动作。大肌群或多个肌群参与运动的练习会产生大量的急性代谢和激素（睾酮和生长激素）反应。事实上，将大肌群练习安排在小肌群练习之前，可以显著地增强小肌群的等长收缩力量，这比单独做小肌群练习效果更好。大肌群参与的练习肌群参与数量比小肌群练习产生更好的无氧刺激环境。因此，肌群参与数量是选择练习时一项重要的考虑因素。

（二）器材和类型

身体姿势、抓握方式、手握的宽度、脚的站姿及位置等各个方面的变化在一定程度上对肌肉激活性产生影响，从而使练习的性质和效果发生变化。抗阻训练可采用各种单关节和多关节练习，一般采用自由重力或训练重力，拉伸训练计划中都应包括这种训练方式。自由重力包括杠铃、哑铃及相关重力（如卧推板、衬圈、长凳等）。训练重力则包括各种专门设计的重力，能够在规定的动作和运动方式的范围内提供相应的阻力。

　　自由重力和训练设备在提高肌肉力量和运动成绩方面都非常有效，同时有各自的优势和不足，具体取决于运动员的需要。训练设备具有更好的稳定性，并能控制运动路线；而自由重力需要练习者自己来控制练习动作。在进行自由重力类练习时，起稳定作用的肌肉群承受的负荷会更大。如此一来，就会给人以这样的印象：训练设备类练习更安全，也更容易入门；而自由重力类练习能更大程度地促进肌肉发展。由于训练具有针对性，自由重力类训练在自由重力类测试中产生的进步更大，而训练设备类训练在设备测试中取得的成绩更好。在中性测试装置测试中，采用自由重力和训练设备进行的力量强化训练产生的结果很相近。自由重力类训练似乎更适合提高竞技能力。

　　但是，有些训练设备能够进行自由重力很难完成的练习（如腿部屈伸、背部下拉、三头肌下压等），这些设备可以说是必不可少的，它们可以为个别运动员带来一定的好处。但是，选择自由重力类练习还是训练设备类练习可能取决于其他因素，比如设备的可用性和成本。

　　除了自由重力和训练设备，在不稳定环境（如采用稳定球、平衡板和博速球）下进行练习也已成为一种流行的训练方式。这些练习可以提高躯干肌群及其他稳定型肌群的参与程度（相对稳定环境而言）。但是，由于这类练习中负荷的重量较轻，这种刺激对提高力量和最大力量的影响有限。此外，近年来的研究表明，结构性运动，如深蹲、挺举练习等，在激活躯干部位核心肌群方面比在不稳定环境下进行的练习更为有效。不过，在不稳定环境下进行的练习依然有着某些作用（如恢复）。铁人竞赛项目的练习也渐渐深受大众喜爱，搬石头、提水桶、负重行走、扔木头、举轮胎、拖卡车等练习会动员所有大肌群，并为神经肌肉系统和代谢系统带来巨大的挑战，为全身力量和体能训练提供有益的刺激。最后，还可以采用其他器材进行练习，如沙袋、小桶、壶铃、弹力带/链（能够在整个动作范围内提供变化的阻力）、粗铁棒等。可以在各种条件下进行大量的练习，体能教练和运动员可以选择相应的训练手段。

（三）单侧、双侧练习

还有一种改变练习方式的方法是针对同样的主要练习部位交替进行单侧（一侧肢体）、双侧（两侧肢体）练习。在进行单侧、双侧练习时，肌肉激活程度会有所不同。单侧训练可以提高两侧肢体的力量，同时也会增强单侧的力量；而双侧训练也可以提高单侧肢体的力量，同时还会缩小两侧肢体在力量上的差距。也就是说，两侧肢体共同产生的最大力比其单独收缩产生的力的总和要小。对训练有素的运动员来说，两侧肢体的力量差距对训练效果影响很小。因此，单侧和双侧练习都值得推荐。

（四）运动链

从竞技能力的角度出发，闭合运动链练习在专项动作和日常活动动作方面的训练效果会更好。在闭合运动链练习（深蹲、挺举）中，远侧部位是固定的，而开放运动链练习（腿部屈伸）能够让远侧部位在克服阻力的过程中自由移动。研究表明，闭合运动链练习与跳高和立定跳远的成绩高度相关。此外，奥古斯特森及其同事发现，采用闭合运动链练习（深蹲）训练能让纵跳成绩提高10%，而开放运动链练习不能提高成绩。因此，闭合运动链练习应当作为运动员抗阻训练计划的核心基础。

五、训练单元结构与练习顺序

在设计抗阻训练单元时，需要考虑练习中参与肌群的数量。有三种基本的训练单元结构可供选择：1.全身训练单元；2.上肢与下肢分开训练单元；3.各肌群分开训练单元。全身训练单元采用的练习所有大肌群都会参与，对每个大肌群安排一到两种练习。这种训练模式在竞技举重项目中常见。在竞技举重项目中，主要的举重动作及其变换形式都属于全身练习。通常，在训练单元当中首先进行的力量练习就是举重练习（提拉的变换形式）。训练单元剩下的部分就是基本的力量练习。上肢与下肢分开训练单元指在一次训练单元中只进行上肢的练习，在下一次训练单元中则只进行下肢的练习。这种训练单元在竞技举重运动员和健美运动员训练中很常见。各肌群分开训练是在一个训练单元中针对特定的肌群进行练习（比如在背部和二头肌训练中先进行背部练习，然后再进行二头肌练习），这体现着健美训练的特性。

所有这些训练计划都能有效提高运动员的成绩。个人目标、时间和频率、个人的偏好等决定了体能教练或运动员应当选择何种训练单元结构。这些训练单元结构的主要差别在于每个训练单元中的专门化等级（与每个肌群进行的练习的数量有关）及每次训练恢复时间的长短。在对练习进行排序之前需要确定采用何种结构（除了完成的练习）。

一个训练单元当中的练习顺序会显著影响抗阻训练过程中当场负重能力和随后力量的变化，练习顺序应当服从训练的主要目标。在训练单元的前期做的练习应该避免产生疲劳、发力速率较大、重复次数较多、举起的重量较大。研究表明，多关节练习（卧推、深蹲、腿蹬伸等）如果被安排在训练单元的后期进行（相同肌群完成其他练习后），其练习能力会大幅降低。考虑到这类多关节练习能有效提高力量和爆发力，通常会在训练课的前半段优先安排这些核心的结构性练习（那些针对训练计划目标、手段的练习）。

例如，举重项目需要爆发力，而疲劳会降低爆发力训练的效果。这些练习必须在训练单元早期进行，这些练习对技术上的要求很高。力量和爆发力训练的顺序安排已有人关注。需要注意的是，这些顺序安排也适用于肌肉耐力训练和发展肌肉体能训练。

对于发展肌肉体能训练和肌肉耐力训练，这些指导原则可能存在着一些例外情况。虽然旨在增大肌肉体积的训练应当包括力量训练，但是，肌肉的生长取决于与生物力学和血流量相关的因素。相比之下，力量训练主要是为了提高与生物力学相关的因素。如果训练的目的是增大肌肉，那么在疲劳状态下进行训练就会对促进肌肉生长的代谢因素产生有效的作用。在这种情况下，可以改变顺序刺激肌肉增大包括的各种代谢因素。例如，一些健美运动员就采用了一种"预消耗"的方法，首先进行单关节练习（使目标肌群产生疲劳），随后再进行多关节练习。

比如，先进行哑铃仰卧飞鸟练习，使胸大肌和三角肌产生疲劳，然后再进行卧推。在进行测验卧推练习分析时，很多时候肱三头肌群不能很好地发挥作用是卧推失败的根源。从理论上分析，胸大肌可能没有得到最有效的刺激。采用"预消耗"法就可以让胸部肌群提前产生疲劳。因此，当练习者在哑铃仰卧飞鸟之后进行卧推，胸部肌群（即目标肌群）就很可能首先疲劳。在进行发展肌肉体积训练时，练习的重复次数较多，练习的重量就较轻。这种方法在提高肌肉体积和肌肉耐力方面效果优于最大力量训练方法。

对肌肉耐力训练来说，在产生疲劳的基础上才能出现适应，因此，练习顺序可以有多种变化。例如，在赛季前的训练期间，篮球教练可以选择将深蹲练习安排在训练单元的后半段进行。这样会让运动员在疲劳状态下进行练习，这与比赛当中遇到的情形一致（比如进行与下半场比赛中跳跃动作相似的下蹲动作）。

在进行热身练习时，可以变换练习手段。例如，一些运动员选择在下蹲练习之前进行单关节练习（腿部伸展）来热身。这里的关键点在于，腿部伸展要在小重量下进行，不要让练习者产生疲劳。因此，可以有效使用热身练习手段来为高强度的训练做准备。

六、训练强度

强度经常用来表达抗阻训练过程中承受的负荷。训练强度很大程度上取决于其他要素，如练习顺序、训练量、训练频次、重复速度、练习间歇等。强度的安排取决于运动员的训练状态和目标，1RM（即最多只能试举一次时的重量）的45%—50%（或更低）的低强度可以提高未经训练的运动员的肌肉力量。但是，随着运动员训练水平的提高，必须采用更高的强度（至少相当于1RM的80%—85%）来提高最大力量。在大负荷负重练习中，肌纤维动员方式与小负荷负重练习不同。提高力量、爆发力、肌肉耐力，增加肌肉体积，需要动员更大量的肌肉和神经参与。

七、训练量

训练量是在一个训练单元中进行的组数与重复次数的总数之和。可以通过改变每个训练单元的练习的数量、每组完成的重复次数，以及每项练习进行的组数来对训练量加以控制。通常，每项练习进行的组数与每个训练单元中进行的练习的数量存在反比关系，而训练量与训练强度也存在反比关系。也就是说，如果安排的训练强度显著提高，那么训练量就应减少。力量训练一般都采用中低强度训练量，因为核心区练习中每组练习是中低数量的重复次数。发展肌肉体积和肌肉耐力训练主要采用中高强度训练量。这类训练计划的总训练量都很大，有利于加大内分泌和代谢的反应。

不同运动员的训练量差异很大，这不仅取决于训练强度，还取决于其他各种因素（如训练状态、参与每个训练单元的肌群数量、营养情况、训练及比赛日程等）。目前对力量训练的训练量建议如下：初级运动员每项练习做1—3组，中级和高级运动员每项练习做2—6组。向中高级训练阶段过渡时应当采用多组数练习，并且训练量和训练强度都要系统地变化。不建议陡然增大训练量，这样可能导致训练过度。此外，并非所有的练习都要做相同的组数。每项练习的训练量取决于训练计划的侧重点。

在设计抗阻训练计划时，每项练习的组数、参与的肌群、训练单元的总体结构等也是基本的考虑因素。很少有研究直接比较训练计划中的总组数。大多数研究是比较单组和多组训练计划。有人将一组慢速完成重复次数为8—12次的练习与分阶段训练计划和无阶段多组式训练计划进行比较。这些研究表明，无论采用什么样的计划设计，对初级运动员产生的结果都很相近，有些研究则表明多组训练计划效果更好。在向中高级训练阶段过渡期间，分阶段、多组训练计划效果更佳。一项研究表明，训练方案被转换为单组式的女运动员的力量有所下降。关于每个训练单元进行的总组数，一项研究在对现有文献、著作进行查证后表明，每个肌群做8组产生的效果最显著。大部分研究都采用每项练习做2—6组，受过训练的运动员和未经训练的初学者的力量都得到了显著提高。通常，在抗阻训练当中，每项练习做2—6组是最常见的，在此基础上也可以增加或减少组数。

八、间歇时间

间歇时间的长短取决于训练强度、训练目标、体能水平，以及针对的供能系统的发挥情况。组与组之间和各项练习之间的休息时间会显著地影响抗阻练习过程中人体对急性刺激产生的代谢、激素和心肺反应，以及随后的各组练习中的表现和训练适应。间歇时间过短不利于快速力量和爆发力训练的发挥，会降低成绩，却对发展肌肉体积和肌肉耐力训练很有好处；而间歇时间较长有助于保持训练强度和训练量。

对抗阻训练的长期研究表明，组与组之间的休息时间较长（如2—3分钟）与休息时间较短（如30—40秒）相比，较长的休息时间对力量的提高产生的影响更大。需要注意的是，间歇时间的长短应根据训练计划的目标和计划内的单个练习的需要而变化，不是每项练习都必须采用相同的间歇时间。对于初级、中级和高级力量训练，建议采用的休息时间至少为2—5分钟。以上建议也同样适用于发展肌肉体积的训练，不过，在训练的不同阶段，也可以采用更短的间歇时间。力量和爆发力的成绩很大程度上取决于ATP–CP系统，该系统通常需要3分钟的时间来恢复。高强度的举重练习需要最大数量的能源物质供应，以便在很少疲劳或无疲劳的状态下完成该组练习。在采用较短的间歇时间的情况下，肌肉力量也可能增大，但增大的速度很慢。

在进行肌肉耐力训练时，间歇时间的选择会产生很大的影响。

重复次数多可以提高次最大肌肉耐力，减少每组间歇时间或力量耐力。肌肉耐力训练应采用较短的间歇时间（如≤30秒）。

九、动作重复速度

提举重量速度影响人体对训练产生的神经、肌肉肥大和代谢的反应，这在很大程度上取决于负荷和疲劳程度。对于不是采取最大重量的练习，运动员在动作过程中采用的速度至关重要。力量=质量×加速度，当慢速完成重复动作时，力量就会明显降低。但是，肌肉有两种慢速收缩方式：无意慢速和有意慢速。

无意慢速一般在高强度重复动作中出现，在这种情况下，负荷强度和疲劳程度都会对动作的速度产生影响。也就是说，运动员使出最大的力量，希望快速推举重量，但是负荷太重或处于疲劳状态，使得完成练习动作的速度很慢。这种情况在高强度的多组数练习中很常见，可对提高力量产生有效的刺激。此外，在一组的最后几次重复动作中出现疲劳的情况下，动作速度也会降低。

有意慢速一般与次最大重量共同采用，在此情况下，运动员直接控制动作速度。有意放慢速度时的发力要比采用正常速度或爆发性速度时低得多，肌纤维激活水平也会相应降低。有意地缓慢提举重物会迫使运动员大幅减少重量。一项研究发现，其重量要减少大约30%，也不会为发展1RM力量提供最佳刺激。因此，有意地放慢速度可能对肌肉耐力训练有所帮助，但对于力量和爆发力训练会适得其反。

中、高速度训练（少于1—2秒的向心收缩模式、1—2秒的离心收缩模式）对提高肌肉能力最为有效，可以通过完成的重复次数、所做的功、产生的爆发力、训练量等指标进行考量。对于力量训练，尽可能快地举起重物，使神经反应达到最佳状态的意图是至关重要的。也就是说，在举起重物的过程中，速度是举的结果，关键刺激是快速移动杠铃。补偿性加速训练要求运动员在向心收缩阶段使杠铃速度达到最大，以最快的速度举起重物。其主要优点在于可以在练习重负荷时使用此方法。它对于多关节练习十分有效，而对力量训练也比慢速动作更有帮助。此外，为了最大限度地提高爆发力，建议采用快速或爆发性速度。

发展肌肉耐力或增大肌肉体积的练习可采用不同的速度。对肌肉耐力训练而言，其关键是要延长每组的持续时间。有两种方法可以用来延长每组的持续时间：1.采用有意慢速动作来做中等数量的动作；2.采用中、高速度，重复次数多。采用轻负荷的有意慢速训练法（5秒的向心收缩模式、5秒或更慢的离心收缩模式）会使肌肉持续紧张，且持续的时间更长，这比中、高速度对代谢系统的要求更高。但是，采用有意慢速动作很难进行大量的重复次数。若想重复次数多，最好采用中、高速度。采用慢速、中等重复次数的训练方法，以及采用中、高速度，大量重复次数的训练方法都会提高负荷刺激糖分解和氧化的需求，因此可以作为发展肌肉耐力的一种有效的方法。

十、频率

在某特定期进行训练的次数会影响训练适应。频率指每周进行力量练习的次数，它取决于好几种因素，比如训练量、训练强度、练习的选择、体能水平或训练状态、恢复能力、营养的摄取、训练目标等。许多抗阻训练的研究都主张对未经训练的运动员采用每周2—3天的隔日训练。这样的训练频率被证明是起步阶段的一种有效的频率。建议举重的初学者采用这种训练频率。训练经验的积累不一定意味着改变力量训练的频率，要更多地考虑改变其他重要因素，如练习手段的选择、训练量、训练强度等。加大训练频率可能需要针对更多的特殊情况（如为每个肌群选择更多的练习手段和加大训练量）。其他一些研究则主张提高最大力量的训练的频率，每周4—5天优于每周3天，每周3天优于每周1—2天，每周2天则优于每周1天。一项研究表明，运动员每周训练4—5天比每周训练3天或6天效果更好。

高水平运动员力量训练采用的频率差异很大。高水平的举重运动员和健美运动员会采用高频率的训练方式（如每周参加4—6节训练课），优秀举重运动员和健美运动员的训练频率甚至可以更高。在训练期间通常采用两分式训练法（每天2节训练课，分别针对不同的肌群），每周参加的训练课可能达到8—12节。高频次训练在竞技举重选手中很常见，其理论依据是，在频繁的短时间训练课之后安排恢复期、补充期和营养摄入期可以达到更好的训练刺激效果。优秀举重运动员通常每周训练4—6天。需要注意的是，并不是所有的肌群在每个训练单元中都要接受高频次训练。

这样，不管训练单元多少，每个主要肌群每周都能接受训练2—3次。

第三节　青少年足球运动员力量训练方法

一、上肢力量的练习

对一个足球运动员来说，提高跳跃和冲刺能力是首要任务。因此，对许多教练来说，发展下半身的爆发力是主要目标。然而，训练的目标是发展全身爆发力，因此教练应将上肢的力量训练纳入力量训练计划。在下面的部分中，我们将介绍一些关于发展上身力量的练习，并描述如何将技术工作加入每个练习中。在每一次力量训练中进行2—3组下列练习之一就足够了：

（一）伏地挺身击掌

练习方法：拍手伏地挺身类似标准伏地挺身。在动作的开始，训练者必须以双臂用力推开身体，使之腾空；然后拍手并将手放回原位。重复该动作。

动作要领：在身体下沉到最低点时，上臂瞬间用力将上半身弹起；落地后双手撑地。

注意事项：要在上半身下落的一瞬间使双手撑地。

易犯错误：做出臀部抬起等错误的代偿动作。（图3-1）

图 3-1　伏地挺身击掌

（二）双臂撑球俯卧撑

练习方法：让训练者保持标准俯卧撑的起始姿势，将足球放在其胸部正下方；指导他们降低自己的上半身，直到他们的胸部接触到球；此时，让他们用力向上推，双手按压在足球上，然后双臂完全伸展，在身体达到最高点时快速移开双手。重复该动作，总共重复5—6次。

动作要领：在双手按压住足球的时候肩胛骨要收紧，保持身体稳定。

注意事项：在双臂撑起的时候保持身体的平直和稳定。

易犯错误：做出臀部抬起等错误的代偿动作。（图3-2）

图 3-2　双臂撑球俯卧撑

（三）跪姿俯卧撑

练习方法：对于标准俯卧撑，保持标准俯卧撑的起始姿势；双手间距稍宽于肩，平放在地面上，双臂和身体笔直。对于跪姿俯卧撑，不是从脚与地面接触的位置开始，而是从膝盖的位置开始；降低重心，保持身体笔直，直到胸部刚好接触地面；然后通过用力伸展双臂回到起始位置。

动作要领：动作过程中双手间距稍宽于肩，跪姿撑起时腰背要收紧。

注意事项：肘关节不要过度外翻，膝盖到肩始终成一条直线。

易犯错误：做出弯腰、弓背等错误的代偿动作。（图3-3）

图3-3 跪姿俯卧撑

（四）单臂俯卧撑

练习方法：单臂俯卧撑可以俯卧撑的标准来进行练习，以单手撑地为起始动作，另一只手背在身后。

动作要领：动作过程中要始终保持身体稳定，单臂下落时尽量缓慢，然后迅速撑起。

注意事项：保持躯干肌群紧张、臀大肌收紧。

易犯错误：身体下落速度太快，导致无法撑起；躯干肌群松弛，无法保持正确的姿势。（图3-4）

图3-4　单臂俯卧撑

（五）握手俯卧撑

练习方法：这个练习可以成对练习或单独练习。两名训练者面对面俯卧，身体成一条直线，头部距离大约为12英寸；以标准俯卧撑姿势开始，降低身体；两名训练者握同侧手并保持1—2秒，同时保持身体的平直和稳定，然后回到起始位置。重复这个练习所需的次数，在每次重复之后换手。

动作要领：两名训练者同时撑起身体，同时落下，同时伸左手或右手；握手时要保持身体稳定，腰背、臀大肌收紧。

注意事项：双手间距稍宽于肩，伸手时保持身体稳定。

易犯错误：做出弯腰、弓背等错误的代偿动作。（图3-5）

图3-5　握手俯卧撑

二、下肢力量训练方法

（一）弓步蹲

练习方法：双脚平行开立，左脚向前迈出一步（2—3英尺），右腿逐渐屈曲，直到右膝刚好接触地面。

动作要领：左脚平放在地面上，脚尖朝前，左腿大腿与地面平行；右脚发力将身体抬起，伸展双腿，回到起始位置；整个运动中要保持上体直立。换腿重复该过程和所需的次数。

注意事项：膝关节不要超过脚尖；保持上体正直，不要弯腰、弓背。

易犯错误：身体重心不稳，发生倾斜；前面的腿膝关节超过脚尖。（图3-6）

图3-6 弓步蹲

（二）横向弓步蹲

练习方法：起始位置与弓步蹲相同；右脚横向迈出一步，直到右腿大腿与地面平行，保持重心在右脚脚后跟上。

动作要领：左腿笔直，左脚平放；右脚发力将身体抬起，回到起始位置。换腿重复该过程和所需的次数。

注意事项：整个动作过程中要保持身体重心的稳定性，上体不要过度前倾。

易犯错误：身体重心不稳，身体过度前倾。（图3-7）

图3-7　横向弓步蹲

（三）多方向弓步

练习方法：多方向弓步采用与标准弓步和侧弓步相同的技术，只是增加了一些技巧。从右腿开始，身体重心前移后回到起始位置；身体重心侧移后再回到起始位置；然后向斜后方移动，最终回到起始位置。对侧同理。

动作要领：右腿向每个方向做一个弓步，然后换左腿。重复所需的次数。

注意事项：保持身体稳定。

易犯错误：膝盖超过脚尖，身体过度前倾。（图3-8）

图3-8　多方向弓步

（四）下蹲

练习方法：双脚平行开立；双臂在胸前交叉，上臂与地面平行；下蹲至双腿大腿与地面平行，保持1秒，然后伸展脚踝、膝盖和臀部回到起始位置。

动作要领：腰腹收紧，背部挺直；下颌微收；双脚脚尖朝前，间距与肩同宽。

注意事项：膝关节不要超过脚尖。

易犯错误：做出弯腰、弓背等错误的代偿动作。（图3-9）

图3-9　下蹲

（五）单腿下蹲

练习方法：双脚开立，与肩同宽，双臂在胸前交叉；支撑腿不动，另一只脚抬离地面，下蹲到尽可能低的位置，保持1秒，然后回到起始位置。按所需次数重复此动作。

动作要领：下蹲过程中可以双臂侧平举，保持身体平衡。

注意事项：下蹲过程中要收腹，上体可以略微前倾，保持身体重心的稳定性。

易犯错误：发生膝关节过度屈曲、身体重心不稳的情况。（图3-10）

图 3-10　单腿下蹲

（六）单腿支撑前倾

练习方法：双脚平行开立，与肩同宽；向后举右腿的同时腰部屈曲，左手持双耳药球自然下垂。左腿应保持直立，右腿略微屈曲。在换腿之前重复所需的次数。

动作要领：动作过程中支撑腿自然伸直，向后抬起的腿脚尖朝下，双臂自然下垂。

注意事项：动作过程中腰背部要收紧，保持上体平直。

易犯错误：做出弯腰、弓背等错误的代偿动作。（图 3-11）

图 3-11　单腿支撑前倾

（七）站立单腿伸展

练习方法：左腿站立，略微屈曲并保持平衡；向前、向上抬起右腿，直至右腿大腿与地面平行，小腿与地面垂直；伸展小腿，直至整条腿与地面平行，保持1秒，然后回到起始位置。重复所需的次数，换腿进行。

动作要领：将大腿抬至与地面平行，脚尖勾起；双臂在胸前交叉，保持平衡。

注意事项：保持身体正直，臀部肌群收紧。

易犯错误：做出弯腰、弓背等错误的代偿动作。（图3-12）

图3-12　站立单腿伸展

（八）跪姿膝关节屈伸

练习方法：将训练者分成一对一组；让一名训练者跪在地上，保持上体直立，另一名训练者跪在其踝关节处，使之固定。引导跪在地上的训练者将身体从膝盖处慢慢向前倾，直至上体与地面形成45度夹角；缓慢地回到起始位置。重复所需的次数之后二人交换位置。

动作要领：身体前倾过程中保持腰背部肌肉收紧，双臂在胸前交叉。

注意事项：双膝要保持一定距离，使得下落过程中身体具有很好的稳定性。

易犯错误：下落速度太快，导致股后肌群不能充分发力。（图3-13）

图3-13　跪姿膝关节屈伸

三、核心力量训练

（一）背桥

练习方法：平躺在瑜伽垫上；双腿并拢而后屈曲，直至小腿几乎与地面垂直；将臀部抬离地面，直至膝盖到肩部成一条直线，收缩臀大肌和核心肌群，以保持身体稳定。按所要求的时间保持姿势，然后回到起始位置。

动作要领：在动作过程中，双手放在身体两侧，以保持身体稳定；抬起脚时，脚尖要勾起。

注意事项：保持腹部收紧，臀部抬起时尽量保持身体平直。

易犯错误：臀部、腹部没有充分收紧，导致身体无法抬起。（图3-14）

图3-14　背桥

（二）平板支撑

练习方法：以俯卧撑姿势起始；双臂下臂紧贴地面，与身体平行，肘部位于肩部正下方，保持身体平直；收缩核心肌肉，将臀部和上体抬离地面，形成支撑的姿势，保持30—60秒。

动作要领：双肘撑地，腹部和臀大肌收紧，耳、肩、髋、膝、踝成一条直线。

注意事项：只有下臂和脚趾才能与地面接触，不要塌腰，膝关节不要触地。

易犯错误：耸肩、塌腰、小腹贴地。

变换练习：这个练习可以通过在保持平板支撑笔直姿势的同时对身体进行几次调整来进行：1.将一只脚抬离地面；2.将一只手臂抬离地面；3.同时将一只手臂和另一只脚抬离地面。（图3-15）

图3-15 平板支撑

（三）侧身平板支撑

练习方法：侧卧；下臂紧贴地面，肘部位于肩部正下方；通过收紧核心肌肉，将臀部抬离地面以形成支架式姿势，使身体头部到脚成一条直线，保持30—60秒。

动作要领：以肘撑地时，保持身体舒展、头部位置正确，身体从后面看呈平板状。

注意事项：保持腰部紧张，不要弯腰。（图3-16）

图3-16 侧身平板支撑

四、躯干与上肢力量综合训练

（一）TRX悬垂俯卧撑

练习目的：发展身体核心区力量。

练习方法：将双脚套在TRX拉力带上，双手撑地，双臂自然伸直，身体呈平板状；双腿依次屈膝、屈髋并做俯卧撑。

动作要领：整个动作过程中保持身体稳定，不要摇晃；腹部肌群和臀大肌收紧。

注意事项：要勾脚尖，不要弯腰、弓背。

易犯错误：弯腰、弓背，屈膝、屈髋过程中身体不稳定。（图3-17）

图3-17 TRX悬垂俯卧撑

（二）半蹲式弹力带划船

练习目的：发展背部肌群力量。

练习方法：双脚平行开立，保持半蹲准备姿势；双手将弹力带向后拉，动作过程中双臂紧贴双肋。

动作要领：双臂向后拉，紧贴双肋，同时腹部收紧。

注意事项：动作过程中要保持上体稳定。

易犯错误：做出后仰或前倾的错误的代偿动作。（图3-18）

图3-18　半蹲式弹力带划船

（三）TRX拉力带俯卧前倾

练习目的：发展上肢肌群及核心肌群，刺激深层肌肉。

练习方法：双手持拉力带准备，身体前倾，核心收紧，双臂上下摆动，保持身体稳定。

动作要领：保持身体正直、稳定，避左右摇晃；保持腰背紧张，避免弯腰、弓背。

注意事项：动作过程中躯干肌群要保持紧张，双腿自然伸直。

易犯错误：做出弯腰、弓背、屈膝等错误的代偿动作。（图3-19）

图3-19　TRX拉力带俯卧前倾

（四）TRX拉力带仰卧

练习目的：发展手臂及背部肌肉力量。

练习方法：双手持拉力带准备；身体后仰，双臂伸直，核心收紧；双臂屈伸，保持身体稳定。

动作要领：保持身体正直、稳定，避免左右摇晃；腰部收紧，避免塌腰。

注意事项：动作过程中保持呼吸顺畅，避免弯腰、弓背。（图3-20）

图3-20　TRX拉力带仰卧

（五）俯卧撑过绳梯

练习目的：发展上肢肌肉核心力量。

练习方法：在绳梯上保持俯卧撑姿势；双脚分开，尽量保持身体与地面平行；双手分开，与肩同宽；每次侧向移动一个绳梯格子，全身发力，核心收紧。

动作要领：移动过程中保持身体稳定，手脚协调，同步前进。

注意事项：动作过程中双腿和双臂自然伸直，保持身体稳定。

易犯错误：做出弯腰、弓背等错误的代偿动作。（图3-21）

图3-21 俯卧撑过绳梯

（六）负弹力带练习

练习目的：发展上肢肌肉核心力量。

练习方法：在绳梯上保持俯卧撑姿势；双手撑紧弹力带并分开，与肩同宽；每次侧向移动一个绳梯格子，全身发力，核心收紧，避免身体倾斜、摇晃。

动作要领：移动过程中保持身体稳定；手脚协调，同步、慢速移动。

注意事项：动作过程中双腿和双臂自然伸直，保持身体稳定。

易犯错误：做出弯腰、弓背、屈膝等错误的代偿动作。（图3-22）

图 3-22　负弹力带练习

（七）单臂直伸俯卧撑

练习目的：发展上肢肌肉核心力量。

练习方法：在绳梯上保持俯卧撑姿势；双手分开，稍宽于肩；身体向下接近地面，一只手臂支撑，另一只手臂侧向伸直。双臂依次交换动作。

动作要领：动作过程中保持身体稳定、平直，动作尽量慢。

注意事项：动作过程中保持身体稳定，腹部收紧。

易犯错误：做出弯腰、弓背、屈膝等错误的代偿动作。（图3-23）

图 3-23　单臂直伸俯卧撑

（八）俯卧单手传接球

练习目的：发展上肢肌群及核心肌群，刺激深层肌肉。

练习方法：以俯卧撑姿势准备；传球人将足球踢向训练者，训练者用单手接球并做一个俯卧撑，再回传足球，保持姿势不变。

动作要领：传接球过程中保持身体稳定、正直，避免左右摇晃；核心收紧，髋关节稳定。

注意事项：动作过程中保持身体稳定。

易犯错误：做出弯腰、弓背、屈膝等错误的代偿动作。（图3-24）

图3-24　俯卧单手传接球

（九）直臂负重绕颈

练习目的：发展上肢肌群及核心肌群，刺激深层肌肉。

练习方法：双脚开立，直臂手持药球绕颈一周。

动作要领：双脚开立，与肩同宽；保持身体直立，避免左右摇晃；核心收紧，髋关节稳定。

注意事项：保持身体直立；抬头，挺胸，下颌微收。

易犯错误：做出弯腰、弓背等错误的代偿动作。（图3-25）

图3-25 直臂负重绕颈

（十）瑜伽球转体坐姿

练习目的：发展上肢肌群及核心肌群，刺激深层肌肉。

练习方法：双脚开立；坐在瑜伽球上，双脚离开地面；双手持药球左右转体，控制平衡。

动作要领：核心发力控制平衡，避免髋关节转动，双手尽量与地面保持平行。

注意事项：保持核心收紧、背部挺直。

易犯错误：做出弯腰、弓背等错误的代偿动作。（图3-26）

图3-26 瑜伽球转体坐姿

（十一）坐姿瑜伽球哑铃上举

练习目的：发展肩部肌群及核心肌群，刺激深层肌肉。

练习方法：坐在瑜伽球上，双脚离开地面，保持平衡；双手持哑铃于双肩正上方，在保证身体平衡的情况下进行哑铃上举。

动作要领：动作过程中保持身体稳定，核心收紧，避免大幅度晃动。

注意事项：保持核心收紧、背部挺直。

易犯错误：做出弯腰、弓背等错误的代偿动作。（图3-27）

图3-27　坐姿瑜伽球哑铃上举

（十二）瑜伽球仰卧哑铃上举

练习目的：发展胸部肌群及核心肌群，刺激深层肌肉。

练习方法：仰卧在瑜伽球上，双脚开立，保持平衡；双手持哑铃于胸前，在保证身体平衡的情况下进行哑铃卧推。

动作要领：动作过程中保持身体稳定，核心收紧，避免大幅度晃动。

注意事项：动作过程中要挺髋、脚尖朝前、腰腹收紧。

易犯错误：做出臀部下坠、身体摇晃等错误的代偿动作。（图3-28）

图3-28 瑜伽球仰卧哑铃上举

（十三）仰卧瑜伽球横移

练习目的：发展核心肌群，刺激深层肌肉。

练习方法：仰卧在瑜伽球上，双臂侧平举，双腿小腿与地面垂直；双脚左右移动，带动身体在瑜伽球上移动到最大限度。动作过程保持身体平衡。

动作要领：移动过程中保持身体稳定，核心收紧，避免大幅度晃动。

注意事项：动作过程中保持身体稳定，双臂自然伸直。

易犯错误：做出臀部下坠、身体摇晃等错误的代偿动作。（图3-29）

图3-29 仰卧瑜伽球横移

第四章

青少年足球运动员速度素质训练

第一节　速度素质影响因素

一、速度素质

速度素质指人体快速运动的能力。快速运动反映身体运动的加速度和最大速度的能力。人体表现出来的速度素质分别有动作速度、位移速度、反应速度。动作速度指人体或人体某一部分快速完成动作的能力。动作速度是技术动作不可缺少的要素，表现为人体完成某一技术动作时的挥摆速度、击打速度、蹬伸速度、踢踹速度等，此外还包含在单位时间内连续完成单个动作时重复的次数（即动作频率）。位移速度指人体在特定方向上位移的速度，以单位时间内人体移动的距离为评定指标。从运动学上讲，是距离（s）与通过该距离所用的时间（t）之比。在体育运动中，其常常以人体通过固定距离所用的时间来表示，如男子100米跑10秒、100米自由泳50秒等。反应速度指人体对各种信号刺激（声、光、触等）快速应答的能力。由于运动员对不同类型信号的反应时是不同的，训练中往往根据不同项目的特点测定运动员对特定信号的反应时。如短跑、游泳等周期性竞速项目运动员主要接收听觉信号，乒乓球运动员则主要通过接收视觉信号做出技术战术反应。

二、速度素质的影响因素

运动员身体任何部位动作速度的快慢都取决于中枢神经系统的功能、引起该部位运动的肌肉力量大小，以及技术动作的合理性。这些都是动作速度的影响因素。

位移速度的主要影响因素是步长和步频。位移速度主要取决于动作频率，即单位时间内完成的动作周期数和每一个动作周期在特定运动方向上的位移幅度，这两个因素状况的改善及它们的合理组合是提高位移速度的关键。

反应速度主要取决于人的感受器（视觉、听觉）、其他分析器的特征，以及中枢神经系统与神经、肌肉的协调关系。反应速度素质受遗传效应影响较大。

三、各项速度素质的评定

因为动作速度寓于某一个技术动作之中，如抓举的动作速度、起跳的动作速度、游泳转身的动作速度等，所以动作速度测量是与技术参数测定联系在一起的，如出手速度、起跳速度、角速度、加速度等。此外，可以通过对连续多次完成同一动作进行计时求出平均动作速度。

短距离跑通常被作为测定位移速度的手段。

测试要求：运动员全力加速。

1.根据不同测试目的选定跑动距离，如10米、30米、60米、100米、120米。

2.在运动员不疲劳、神经兴奋性高的状态下进行测验。

3.充分做好准备活动。

4.除了时间参数外，步数、步频和单腿蹬地时间也是重要的评价参数。

人们通常通过测定反应时，即运动员对信号刺激做出反应所需的时间来评定运动员的反应能力。应根据不同项目的特点测定运动员对特定信号的反应速度。如短跑、游泳等竞速项目，运动员主要接收听觉信号而开始竞技；而乒乓球选手主要接收视觉信号而做出技术战术反应。反应时的评定可以通过实验室的测试进行，也可用简易的方法进行测量和评定。

第二节　速度素质训练计划设计

一、场地和鞋

在开始实施训练计划之前，应该首先确定要使用的场地（室内球场、草地球场或跑道）及要穿的鞋子类型。运动员应该在与比赛场地接近的训练场地展开训练，例如篮球运动员应该在篮球场上训练短跑，冰球运动员应该在冰场上训练短跑。运动员同样也应该选择适用于速度训练和比赛的鞋类。对于在室外场地活动的运动员，天然草地仍是首选；但有着类似草地的减震功能的新型合成场地也具有等效的功能。胶钉鞋只适用于草地和与草地类似的合成场地。场地表面应该平整，没有障碍（体育器材、不可移动的自然物件或场地管理设备）。除了场地和鞋类，运动员必须确保鞋子舒适、合脚、贴合，以避免因为不必要的动作而导致受伤。

二、速度训练的练习

基础速度练习有助于在速度训练中发展正确的动作模式和运动技术，从而提高加速度、最大速度和速度耐力。基础速度练习提供了一个将速度技术分解为更小环节，并在速度降低时加以完善的平台，从而转化为最大加速度、速度和速度耐力训练。在将速度练习融入训练计划之前，体能专家应该理解每种练习的目的，并且采取合理的、正确的动作手段。此外，他们还应该在练习过程中监督运动员完成动作的形式和技术。在理想情况下，速度练习应该在运动员得到充分休息的状态下或在其他训练之前进行。

（一）短距离冲刺训练

为了提高速度，跑和加速训练应该成为足球速度训练的一部分。这种训练并不需要太多，在赛季开始前，只要一个星期的练习就足够了。在短距离训练过程中，运动员应在短跑之间充分休息，以避免过于疲劳，在开始时还要注意腿部运动的形式和速度。在一个赛季的过程中，从季前赛中后期开始冲刺训练，直到赛季结束；可以在比赛前一天进行。很多职业球队都觉得可以提高精神敏锐度，为即将到来的比赛做准备。短跑训练应该在刚开始训练的时候进行。

（二）速度耐力训练

首先要做好准备，因为这种类型的训练可能是非常疲劳的，笔者认识的一些运动员对其中一些训练感到很害怕。但从个人的角度来看，这些训练回馈是值得的，因为在短暂的休息之后或在休息期间会感到暂时的不适，可能觉得这些训练很激烈。它们被设计成能快速产生大量乳酸。这样一来，身体就会适应这种变化，增加排除率，大大加快恢复速度。足球是一项多短跑运动，在很多情况下，运动员不得不在90分钟内连续、快速地重复短跑。保持高速度和高力量的能力在一定程度上依赖于身体清除乳酸的能力，没有什么比在追了对手几次后接到球更糟糕的了，因为他们在你的周围绕成三角形。此时，可以试着做一个克鲁伊夫转弯。根据笔者的个人经验，尽管这些速度耐力训练很累人，但它们使比赛变得很容易。这是一个真正的信心助推器，值得付出努力。在季前赛中后期，可以每周进行两次速度耐力训练（24—48小时）。在赛季中，如果一周有两场比赛，可以减少到一场，甚至可以不参加。

（三）柔韧性训练

让运动员为了增加运动范围而伸展身体，总是一场艰苦的斗争。他们会做热身运动，但是适度增加运动范围有很多好处。其中之一就是增加动力和提高运动速度。运动员肌肉收缩的速度取决于对手肌肉的放松速度。柔韧性训练可以释放紧张感，提高这种放松的速度。增加运动范围也有助于增大步幅，这对于方向的快速、灵活变化很重要。可试着一周做三次伸展运动。

第三节 足球项目速度素质训练方法

一、无球的速度素质训练

无球的速度素质训练作为一般的速度素质训练方法，被广泛运用于各专项的速度素质训练中，包括足球训练。无球的速度素质训练为专项速度素质训练奠定了基础。

（一）综合性速度素质训练

这些足球速度训练的基础是10—20码的冲刺。要尽可能地把注意力集中在加速上，双臂用力摆动，腿部充分发力。

方法一：俯卧撑接起身跑

练习方法：下蹲，做1—3个俯卧撑，迅速起立，紧接着做冲刺短跑。

动作要领：做俯卧撑时尽量快，起身时动作要迅速。

注意事项：起身后的加速跑过程中，身体要保持一定的倾斜度。

易犯错误：俯卧撑动作不标准、动作不到位或速度太慢，都达不到速度素质训练的效果。（图4-1）

图4-1 方法一：俯卧撑接起身跑

方法二：跪姿俯卧撑接冲刺

练习方法：以跪姿起始；俯卧，双手撑地；然后迅速做5个俯卧撑，紧接着加速冲刺。

动作要领：做俯卧撑时尽量快，起身时动作要迅速。

注意事项：俯卧撑动作要标准，而且要快；起身时动作要迅速。

易犯错误：俯卧撑动作不标准、动作不到位或速度太慢，都达不到速度素质训练的效果。（图4-2）

图4-2 方法二：跪姿俯卧撑接冲刺

方法三：结合球的速度练习

练习方法：把球扔出去或接住教练扔过来的球，然后迅速把球放下，紧接着转身冲刺。

动作要领：扔球时要尽全力，接球时要注意缓冲。

注意事项：把球放下，而不是直接仍在地上。

易犯错误：会错误地把球直接扔在地上。（图4-3）

图4-3 方法三：结合球的速度练习

（二）绳梯速度训练

绳梯是一种简单的设备，可以让运动员发展快速移动和协调能力。

练习方法：做高抬腿加速跑，要求步伐非常短促，让双脚的每个部位都能接触地面。

动作要领：动作过程中保持大腿与地面平行，脚尖勾起。

注意事项：保持上体正直、自然摆臂、呼吸顺畅。

易犯错误：做出脚尖朝下、身体重心过于前倾或后仰的错误的代偿动作。（图4-4）

图4-4　绳梯速度训练

（三）小栏架快速跑

练习方法：在地面上测量好距离，依次放好小栏架；尽可能快地跑完放置的小栏架，但要确保在每个标记处迈出一大步，在每两个小栏架之间的空隙处落地一次。

动作要领：动作过程中要始终保持身体重心的稳定性，控制好步伐节奏。

注意事项：自然摆臂，每次跨越栏架时速度要快。

易犯错误：身体过度前倾。（图4-5）

图4-5　小栏架快速跑

（四）跳台阶

练习方法：将标志桶或软物体放在旁边；膝盖充分抬起，垂直跳跃，越过界标或标志桶，双脚落地；然后跳回到原来的位置。尽量减少与地面接触的时间，不要完全蹲下。重复最多30秒，共做3组。

动作要领：动作过程中要始终保持身体重心的稳定性，控制好重心。

注意事项：尽量跳得高。

易犯错误：身体过度前倾。（图4-6）

图4-6 跳台阶

(五)穿梭跑

练习方法：将5个标志桶分开10码成S形摆放；从第一个标志桶开始，向第二个标志桶加速跑，绕过第二个标志桶然后向第三个标志桶加速跑，以此类推，一直跑到最后一个标志桶，休息30秒并重复；再休息30秒，再重复一次。这是一套。

动作要领：动作过程中变向时要保持身体稳定。

注意事项：快速穿梭跑过程中要保持身体平衡。

易犯错误：身体重心不稳，造成摔倒。(图4-7)

图4-7 穿梭跑

（六）原地高抬腿

练习方法：膝盖用力向上抬起（每次抬一条腿），直至大腿与地面平行。

动作要领：膝盖抬起并朝前；前脚掌轻快地触地，脚尖勾起；上体必须挺直，适当地摆臂予以配合。

注意事项：双腿交替进行时不要同手同脚，动作要协调。

易犯错误：弯腰、弓背、身体过度前倾。（图4-8）

图4-8 原地高抬腿

（七）后踢腿跑

练习方法：自然摆臂向前跑动，膝盖向上抬起，同时向后摆动小腿，直至脚后跟碰到臀部。

动作要领：膝盖用力向上抬起，在提膝的同时脚后跟向上提，大腿和小腿约成90度夹角；支撑腿脚与地面的接触点在臀部正下方；整个运动过程中保持上体直立。

注意事项：动作过程中保持上体直立。

易犯错误：做出弯腰、弓背等错误的代偿动作。（图4-9）

图4-9　后踢腿跑

（八）多方向跑

练习目的：增强多方向移动的能力，提高速度素质和观察能力，同时对反应时间、跑动时机进行训练。

练习方法：按照图4-10布置场地；训练者从A点沿图中路线侧滑步到B点，从B点正向跑到C点，然后倒退跑到D点，最后跑到小栏架处单脚跳过栏架。

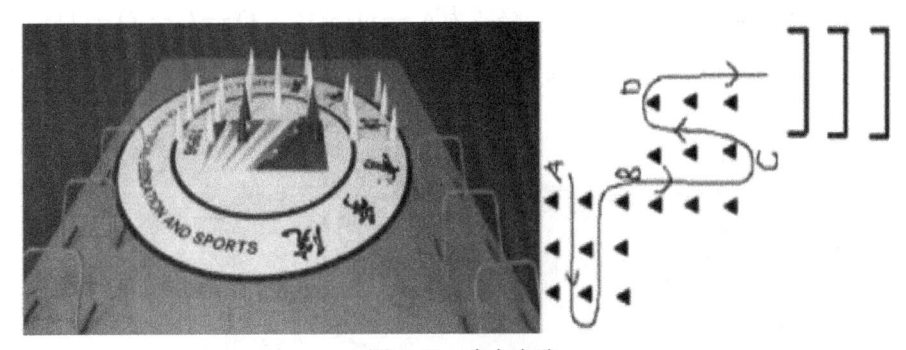

图 4-10　多方向跑

动作要领：在变向时要有明显的急停制动动作，练习过程中要目视前方，加强手臂的摆动。

注意事项：动作过程中要保持身体重心的稳定性。

易犯错误：急转过程中滑倒、身体重心不稳。

变换练习：改变练习场景，将木棒摆放成如下图的形状；训练者站在A点交叉步移动到B点，然后正向小步跑从C点移动到中心，接着侧向交叉步从中心移动到B点，再侧向交叉步返回中心，最后倒退小步跑到H点。

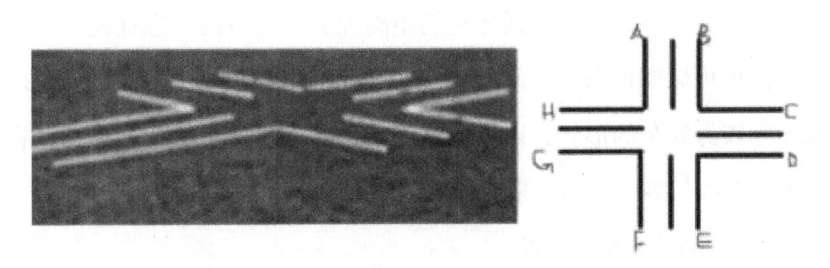

可以将木棒变为标志桶，根据实际场地器材情况而定；也可以将单腿跳的形式加进去，进行组合。

（九）十字形多方向跑

练习目的：发展多方向移动能力、提高速度素质、训练反应时间。

练习方法：将场地布置成图4-11所示的形状；训练者在A点排成一队，

中心的红色标志桶为O点，跑动路线为A—O—B—O—C—O—D—O—A；当第一个人跑到B点时，第二个人出发。以此类推。

图4-11　十字形多方向跑

动作要领：在变向时要有明显的急停制动动作，练习过程中要目视前方，加强手臂的摆动。

注意事项：动作过程中要保持身体重心的稳定性。

易犯错误：急转过程中滑倒、身体重心不稳。

变换练习：可以将标志桶之间的距离加大，变成绕标志桶跑，可以正向移动，也可以侧向移动；可以设计成不同的形状，如米字形、W形、T形或一些较为复杂的形状，以加大难度；也可以将标志桶变为绳梯，将绳梯的练习方法与多方向结合来练习。

（十）正向单腿交叉步跑

练习目的：发展速度、敏捷性及髋部的灵活性。

练习方法：第一组练习是右脚踩在第一个格内，左腿经右腿前方迈向绳梯的右侧，然后左脚返回到原来的位置，同时右脚前进一格。依次循环练习。第二组练习是右脚始终在绳梯内，到绳梯终端时进行10米加速跑，然后走到队伍的末尾等待下一次练习。

图4-12 正向单腿交叉步跑

动作要领：跑动过程中目视前方，不可低头看脚下；加强手臂的摆动；步伐一定快速、灵活。

注意事项：保持身体直立，摆臂自然、协调。

易犯错误：做出弯腰、弓背等错误的代偿动作。

变换练习：保持侧向的交叉步，可以进行前后都交叉的练习，也可以仅进行向前/向后的交叉练习。（图4-12）

（十一）综合性循环训练

练习目的：提高多方向移动速度、灵敏素质、爆发力及糖酵解代谢能力。

练习方法：按顺时针或逆时针方向，沿着场地上设置的路线，听从体能教练的指示，进行双脚跳栏架、单脚跳绳梯、加速跑等练习。

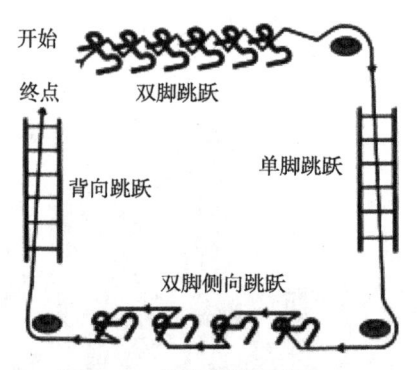

图4-13 综合性循环训练

动作要领：要保证在综合性循环训练中的每个循环站点都能够正确运用各项技术动作；保持训练的连续性，不要停顿。5次循环练习为一组，每次循环间歇为60秒。

变换练习：两人一组配合练习，一名训练者在接住另一名同伴从不同地方传出的球的同时，还要继续完成循环练习。（图4-13）

（十二）对墙前摆腿

练习目的：增加髋关节的灵活性，提高肌肉的温度，降低肌肉的粘滞性。

练习方法：双手扶住栏杆等，并用力撑住，身体与栏杆的夹角约为30度；左腿用力向后抬起，随后用力向前摆动。换腿进行。

动作要领：保持一定的摆动幅度和范围，不宜过大或过小；双眼平视前方；慢慢加快摆动的速度。（图4-14）

图4-14 对墙前摆腿

二、结合球的速度素质训练

结合球的速度素质训练能够很好地反映专项训练的需要，结合足球这个专项的特点，有利于足球运动员更好地将速度素质运用于比赛和训练中。

（一）紧密空间运球

练习目的：提高本体感觉能力、观察能力，以及身体灵活性和速度。

练习方法：在球场上划出一个约15×15米的范围，一共15名训练者参与（若人数有变化，范围也要随之调整）；每个训练者有1分钟的时间可以在这个范围里自由运球，但是要尽可能地快，运用各种技巧、急转及假动作。然后轮流进行。每进行1分钟后都缩小活动范围，重复6—7次；每次每人连续运球，不要有间歇。

训练要点：不要超出场地的范围，动作尽可能地迅速；正确运用足球的各种动作。

注意事项：轮换时每个人的动作不要重复。

易犯错误：产生动作重复、超出活动场地等错误。（图4-15）

图4-15　紧密空间运球

（二）二对二练习

练习目的：发展速度素质，提高技术、技巧和实战能力。

练习方法：在球场上划出一个约10×12米的范围。四人一组进行练习，两名球员为进攻方，另外两名球员为防守方；进攻方持球进攻，防守方必须去拦截，积极防守。进攻方的球如果到了界外算是失败，防守方获得球权，1分钟为一个回合。如果进攻方成功进球，则防守方失败，进攻方继续获得球权；如果1分钟后进攻方没有成功进球，则防守方获胜，防守方获得球权。

训练要点：在练习时要遵守足球比赛的规范，4个回合为一组，每组间休息2分钟。

注意事项：球员之间不可推拉，要控制时间，进攻方不要超时。

易犯错误：做出错误的技术动作和犯规动作。

（三）脚尖点球

练习目的：提高步伐速度和摆臂速度。

练习方法：将球放在面前的地面上；将一只脚的脚尖放在球上，身体的重心在另一只脚上；进行轻微的跳跃，同时将先前在球上的脚移动到地面上，并保持球静止不动。重复这个动作，直至双脚触球至少10次。慢慢开始，一旦感觉动作流畅，就提高练习的频率；手臂应与腿的运动方向相反。

动作要领：摆臂和脚部点球动作要协调配合，双臂自然摆动，逐渐提高频率。

注意事项：保持腰背挺直，目视前方。

易犯错误：做出弯腰、弓背等错误的代偿动作。（图4-16）

4-16　脚尖点球

（四）运球追逐

练习目的：提高起跳速度和加速度，掌握快速运球技术。

练习方法：将两种球按三码的距离排成直线；用旗子或标志桶设置一个小目标（间距为3—4米），距离较近的标志桶10米，如图4-17a所示；

把球员分成两组，两人一球，带球的球员从离球门更近的标志桶处开始，另一名球员从他们身后的标志桶处开始追赶。

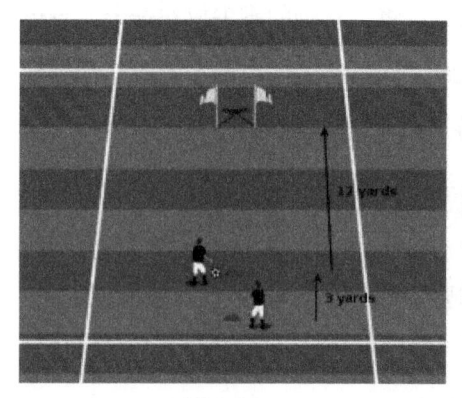

图4-17a 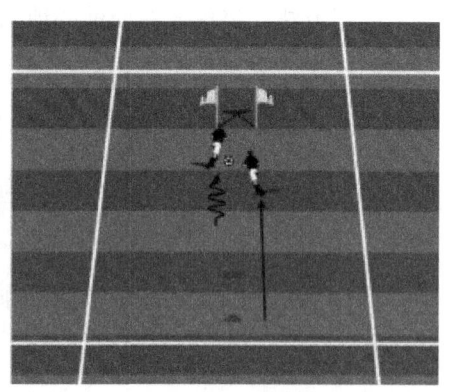　　　　　　　　　　图4-17b

两名球员都开始向那个小目标加速。前场球员必须快速带球，在控制下通过小球门；而他们的搭档试图赶上他们并将球传递给他们，如图4-17b所示。谁先越过球门线谁就赢了。换角色继续训练。

训练要点：没有球的球员必须在一个好的准备位置，并保持低重心的姿势，第一步必须是向已经规定好的方向移动；要采取简短、有力的动作，保持适当的姿势和积极的身体角度。

注意事项：可以在没有球的情况下采用不同的起始位置，如俯卧、仰卧、背对球门。

易犯错误：防守球员滑铲。

（五）接替传递

练习目的：提高不同刺激下的反应启动速度。

练习方法：将球员分成三组，每组一个球；两名球员面对面站在相距6米的地方，另一名球员站在距二人的连线10米的地方；两名球员彼此传球，但他们必须进行两次触球（图4-18a）；几次传球后，这两名球员中的一名将向第三名球员的方向跑，第三名球员直线跑向传球队员去接球（图4-18b），或沿弧线跑向传球队员去接球（图4-18c）。

训练要点：球员应保持低重心的良好的准备姿势，鼓励另外两名球员保持好的传球质量并快速转身。

注意事项：要集中注意力观察队友的动作。

易犯错误：传球力度过大、跑动速度过慢。

图4-18a

图4-18b

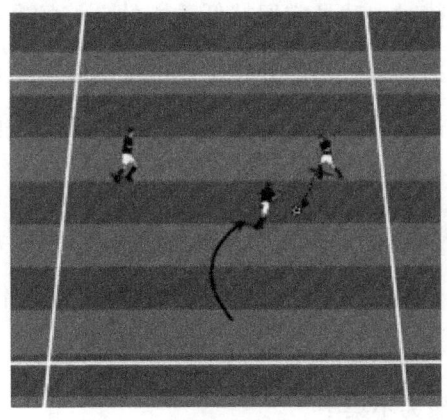

图4-18c

（六）一次性落球

练习目的：提高反应启动速度和技术运用。

练习方法：在一个普通大小的球门中心前20米处放置一个标志桶；一

小群球员站在标志桶后面，面对球门，教练高举着球站在离球门15米的地方（图4-19a）；准备好后，教练让球从手中落下，排在队伍前面的球员必须向球的方向做加速跑，完成一次触球并离开（图4-19b），队伍中的下一个人接着进行。

图4-19a　　　　　　　　　　　图4-19b

训练要点：等待时，球员应保持低重心的良好的准备姿势，必须朝着预定的方向迈出有力的第一步，并在加速的同时采取短而迅速的动作；当完成时，球员必须进攻球，并适当调整自己的身体。守门员和球员都可以平躺的姿势开始。

注意事项：这个练习可以通过让教练弹起球或从更高的位置把球放下来进行，这样，必须使用不同的动作来完成第一次动作；要保持注意力集中。

易犯错误：注意力不集中。

（七）全力冲刺，长距离传球

练习目的：发展爆发力和长距离传球技术。

练习方法：这个练习需要半个正常大小的运动场作为比赛场地；将一个标志桶放在罚球点上，将另一个标志桶放在中线的中心点上；球员在每个标志桶后面按相等长度的直线排成纵队，其中一队前面的球员脚下有一个球，带球的球员把球传给另一队前面的球员。在传球时，球员要快速跑到另一条线上；接球的球员重复这个过程。

训练要点：球员在通过后应尽量用适当的技术进行冲刺；教练应专注于手臂动作、膝盖驱动、姿势和脚的击打；传球时，球员要以脚触球，并以一个小角度而不是直线接近球；然后，球员应该将支撑脚放在球的旁边，并指向预期的传球方向；击打球的脚趾应该向下，而腿应该始终朝向目标。

注意事项：要沿着地面传球或弯曲传球。

易犯错误：注意力不集中，技术动作错误。

（八）交叉传球和运球

练习目的：培养速度耐力和完成能力。

练习方法：这个练习需要半个正常大小的运动场作为比赛场地；把三个球放在中场线上，第一个在中间位置，第二个在左边5米处，第三个在右边5米处；球员在标志桶所在的中心位置和标志桶的右边触球线上排成长度相等的两队，中心位置应该有多余的球；准备好后，排在队伍前面的中锋将球传给教练；然后，两队球员开始向前冲刺；教练将传球给边路球员，让边路球员跑向边角旗的方向，然后传中球员完成一次触球。当中心球员击球时，双方球员必须全力冲刺回到后方。

注意事项：边锋最多只能触球两次，最好是一次；球员每次试跳后都要换行，每次重复几次后教练都要换边。

易犯错误：注意力不集中，技术动作错误。

（九）绳梯带球

练习目的：发展灵敏素质，提高控球能力。

练习方法：训练者双脚交替点球，每循环一次，都用脚将球移到绳梯下一格内进行练习；当第一个人到第三个格时，下一个人出发。

动作要领：双脚交替要迅速，加强双臂的摆动，控制好球。

注意事项：要保持抬头、挺胸，身体重心稳定。

易犯错误：摆臂不协调、弯腰、弓背。（图4-20）

图4-20　绳梯带球

第五章

青少年足球运动员爆发力训练

第一节　爆发力及其影响因素

一、爆发力

爆发力指在最短时间内使器械（或人体本身）移动尽量远的距离的一种力。顾名思义，这种力就像爆炸一样，能在瞬间产生巨大的能量。爆发力实际上指不同的肌肉相互协调的能力，反映力量素质及速度素质相结合的一项人体体能素质。

爆发力也可以被定义为作用力乘以运动速度。由于功是力与位移距离的乘积，而速度等于位移的距离除以所用的时间，爆发力还可以被表示为单位时间内所做的功。一名运动员爆发力产生的功率大概为50W（如在骑轻型脚踏车或慢跑当中产生的功率）到7000W左右（如举重的挺举阶段产生的功率）。本章主要介绍最大爆发力（肌肉最大输出功率），它可以通过肌肉的n次收缩产生；这种情况被称为"最大瞬时爆发力"；不过，本章将使用"最大爆发力"一词。

在发令员的一声枪响下快速蹬离起跑器、从2.45米高的横杆上一跃而过、迅速改变方向以躲避对手的袭击、抓举相当于自身体重2.5倍的重量、将高尔夫球打出300多米……所有这些都是最大爆发力的表现。如果是为了在起跳、出手或冲击时达到最大速度，那么爆发力产生的最大功率就比运动成绩更为重要，这包括各种常用的动作，如冲刺跑、跳跃、变向、投掷、踢腿、击打等。因此,绝大多数竞技体育项目都涉及爆发力。

二、爆发力的影响因素

运动员在篮球赛中抢篮板球时的跳跃动作显示最大爆发力的重要性,使得我们去研究影响爆发力的力学因素。运动员抢篮板球时跳跃的高度完全是由其起跳速度决定的。在起跳动作结束时,身体立即停止动作。当运动员伸展躯干、髋部、双膝和脚踝并离开地面时,身体就会向上加速并达到一个最大的起跳速度。这个速度的数据是肌肉对地面产生的作用力乘以其作用时间(术语称之为"冲量"),再减去体重的冲量得到的。

在起跳过程中,受垂直方向的地面反作用力,受试者的位移、速度和爆发力的作用,向心肌肉动作的持续时间仅为 235 毫秒,最终实现的起跳速度是由这一短时间内产生的各种力量之和决定的。

当运动员跳离地面后,他就不能产生改变运动方向的力了。身体垂直加速越快,运动结束和起跳之间的时间就越短。从中我们可以看到肌肉最大爆发力的重要性。运动员试图发挥最大爆发力使身体加速,而施力的时间就缩短了。因此,神经肌肉系统的三个力学特性决定了成绩:在短时间内产生最大力量的能力(术语称之为"力量发挥最大速率",mRFD)、肌肉离心收缩阶段结束和向心收缩阶段的前期产生最大力量的能力、肌肉收缩速度加快时肌肉持续产生较大力量的能力。

很多因素影响上述三种特性的发挥。探讨每种因素会帮助我们了解不同训练策略的作用及它们是如何影响训练效果的。最大爆发力表现需要采用肌肉先伸展,再收缩的反向运动类(拉长 — 缩短周期)训练。特定爆发力训练比重负荷抗阻训练的反应更好,因为爆发力训练涉及力量和速度,以及肌肉活性下降的短暂减速阶段。每个有利于最大爆发力发挥的因素都有自身的使用范围，因此，在为运动员设计训练计划时，应综合应用多种方法，并针对那些有着最大适应潜力的环节，即运动最弱的环节。

（一）拉长—缩短周期

大多数爆发性练习都涉及反向运动，整个过程中参与肌肉群先被拉长再缩短，使身体或肢体加速。这种肌肉收缩模式被称为"拉长—缩短周期"（Stretch-Shortening Cycle，SSC）。它涉及许多复杂并且相互作用的神经因素和力学因素，比如牵张反射激活、肌肉—肌腱相互作用等。大量关注肌肉拉长—缩短周期的研究表明，在拉长—缩短周期中肌肉激活程度和表现优于单纯的向心收缩过程。例如，有人曾观察到静止或蹲跳（Squat Jumps，SJ）与下蹲跳（Counter Movement Jumps，CMJ）的跳跃高度存在 18%—20% 的差距。蹲跳是从蹲姿开始的一种向心收缩跳跃动作；下蹲跳则是从站姿开始，快速屈膝、屈髋下蹲，然后再起跳。

下蹲跳与蹲跳在跳跃高度上存在差距主要是由于下蹲跳可以产生更大的爆发力，这样就使得对地面施加的作用力更大，从而使整个身体向上的冲量（F×t）和加速度也更大。其他几种机制的理论认为，储存弹性势能释放、肌肉—肌腱相互作用、牵张反射激活等都可能对拉长—缩短周期成绩的提高起辅助作用。

事实表明，运动员完成拉长—缩短周期动作时产生的最大爆发力高于日常的拉长练习。这些超等长练习已经在大量研究中被证明可以有效提高跳跃能力和爆发力。超等长训练可以使肌肉的整体神经刺激得到加强，从而增大输出的力量，肌肉活动质的变化也同样很明显。根据肌电研究，不熟悉大强度的拉长—缩短周期负荷的受试者肌肉激活时间减少，从触地前的 50—100 毫秒开始，并持续到 100—200 毫秒。这是一种由高尔基腱器官产生的保护性反射机制，该器官会在突发性、大强度的伸缩负荷过程中起作用，这类负荷通常会在拉长—缩短周期的力量高峰期间减少肌腱单元内的张力。在经过一段时间的超等长训练之后，这种抑制作用会降低（术语称之为"抑制解除"），而拉长—缩短周期的成绩会提高。

超等长训练（Plyometric Training）会使肌肉骨骼系统承受相当大的作用力。专家建议运动员在开始超等长训练计划之前具备初步力量训练的基础，比如，运动员能够采用其1.5倍体重的负荷做深蹲练习，也可以进行低强度的超等长训练，如蹲跳、下蹲跳、侧跳、跳箱子等。需要牢记的是，超等长训练往往是儿童跳跃游戏的内容之一。有人认为跳深带来的受伤风险比较高，因此初学者不应进行跳深练习。

（二）肌肉力量

力量指肌肉按特定或确定的速度收缩产生的力或力矩的值，肌肉收缩方式包括离心、向心、等长等。通常，体能教练和运动员将"力量"一词与慢速甚至等长肌肉收缩过程中产生的力联系在一起。这种力可以通过采用重复一次试举的最大重量（1RM）的测试来获得，该测试是以运动员在整个动作过程当中试举一次举起的最大重量来对其力量进行评估。1RM力量的发挥和评估受到了大量研究者的关注，有兴趣的读者可以参考相关的文献著作。在举起最大重量时，其限制因素是缓慢的收缩产生的肌肉力量。但是，在1RM力量训练中，需要运动员尽全力完成次数很少的试举练习。大多数体育项目都要求在很快的运动速度中产生很大的力，从放松状态中快速获得很大的力量。

研究结果和体能教练提供的例证表明，如果运动员在慢速运动状态下力量得到了提高，那么其爆发力和运动成绩也会提高。这是因为慢速运动状态下的最大力量是最大爆发力的基础。换句话说，力量和爆发力之间存在着一种基本关系，即不够强壮的运动员不可能拥有高水平的爆发力。对从未受过训练到训练有素的受试者的大负荷力量训练计划的研究表明，这样的训练既能提高最大力量，也能提高最大爆发力。虽然力量是影响最大爆发力发挥的一个基本要素，但是，当运动员已达到很高的力量水平时，这种影响就会减小。因此，运动员当前的力量水平决定了其最大肌肉爆发力潜力的上限，如果最大力量很低，爆发力也就成为无本之木了。

要获得更大的爆发力，就要从向心收缩变为离心收缩，这样，它会从零速度开始。因此，在离心阶段后期产生的力、从拉长到缩短的转换（包括肌肉等速收缩）及随后的向心收缩都是由主动肌的最大力量决定的。如果最大力量被提高，那么这个过程中就可以产生更大的力，致使冲量增加，从而提高加速度。但是，随着肌肉高速收缩能力提高，慢速动作肌肉力量对快速力量能力的影响会减弱。在运动员专项训练过程中，这一点显得尤为重要。

第二节　足球项目爆发力训练计划设计

爆发力训练计划是由多个要素组成的。这些要素包括练习方法的选择、练习的顺序、训练负荷、间歇时间、赛前减量，其中的一个或多个要素都会对训练的刺激作用产生影响。因此，合理安排抗阻练习，就要针对特定的目标控制好各个要素。

一、练习手段的选择

发展运动员爆发力的训练方法包括大阻力训练（根据专项对爆发力的要求）、弹射式训练（应当在训练量当中占有相当的比例）、超等长训练和举重训练。力量性抗阻训练可以提高爆发力，但可能不会立竿见影。减量训练和恢复是训练计划的两个重要方面，应当根据专项需求来变化。

二、练习的结构和顺序

在设计爆发力训练结构时，需要考虑练习中参与肌群的数量。有三种基本的训练结构可供选择：全身训练、上肢与下肢分开训练、各肌群分开训练。全身训练针对每个大肌群安排一到两种练习，这种训练模式在竞技举重运动员当中常见。在竞技举重项目中，主要的举重动作及其变换形式都属于全身练习。通常，在训练顺序当中首先进行的力量练习就是举重练习（提拉的变换形式）。训练单元剩下的部分就是基本的力量练习。上肢与下肢分开训练指在一次训练中只进行上肢的练习，而在下一次训练中只进行下肢的练习。一个训练中的练习顺序会显著影响爆发力训练过程中当场负重能力和随后力量的变化，练习顺序应当服从训练的主要目标。在训练单元的前期做的练习应该避免产生疲劳、发力速率较大、重复次数较多、举起的重量较大。研究表明，多关节练习（卧推、深蹲、腿蹬伸等）如果被安排在训练单元的后期进行（相同肌群完成其他练习后），其练习能力会大幅降低。考虑到这类多关节练习能有效提高力量和爆发力，通常会在训练课的前半段优安排做这些核心的结构性练习（针对训练计划目标的练习）。例如，举重项目需要爆发力，而疲劳会降低爆发力训练的效果。这些练习必须在训练单元早期进行，这些练习对技术上的要求很高。力量和爆发力训练的顺序安排已有人关注。需要注意的是，这些顺序安排也适用于肌肉耐力训练和发展肌肉能力训练。对于发展肌肉能力训练和肌肉耐力训练，这些指导原则可能存在着一些例外情况。虽然旨在增大肌肉体积的训练应当包括力量训练，但是肌肉的生长是与生物力学和血流量相关的因素。相比之下，爆发力训练主要是为了提高与生物力学相关的因素。如果训练的目的只是增大肌肉体积，那么爆发力训练的意义就不大了。所以不能单纯使用一些健美运动员使用的力量训练方法。

爆发力训练的一般顺序是：大肌群练习（如深蹲）应当在较小肌群练习（如肩推）之前进行，多关节练习应当在单关节练习之前进行。

对于爆发力训练，全身性练习（从最复杂的到最简单的）应当在基础性力量练习之前进行。例如，最复杂的练习有抓举（因为杠铃要移动最大的距离）和相关举重练习，然后是挺举和推举。这些练习要在仰卧推举、深蹲等练习之前完成。

上肢和下肢交替进行，主动肌工作时，拮抗肌休息。这种顺序安排有利于保持训练的高强度和完成规定的重复次数。

某些针对不同肌群的练习可以穿插在其他练习的组次之间进行，以提高训练的效率。例如，可以在卧推的练习组次之间穿插进行躯干部分的练习。由于刺激的是不同的肌群，在进行卧推之前不会产生额外的疲劳，这在间歇时间较长的情况下尤其有效。

当在某一天训练上肢肌群，在另一天训练下肢肌群的情况下，运动员应当按以下原则来做：

先进行大肌群、多关节练习，再安排小肌群、单关节练习。

交替进行对立工作肌群练习。

在训练单个肌群时，运动员应当按以下原则来做：

将多关节练习安排在单关节练习之前进行。

将高强度练习安排在低强度练习之前进行（这种顺序安排可以从强度最大的练习开始逐渐向较低强度过渡）。

三、训练负荷

爆发力会因动作速度和负荷不同而改变。例如，在蹲跳过程中峰值爆发力在85%1RM（3986 ± 564 W）— 100%1RM（6332 ± 1085 W）的范围内变化（即表现为37%的变化幅度）。因此，在弹射爆发力训练计划中，负荷的大小会影响到成绩提高的类型和幅度，以及潜在的生理适应。

金子及其同事揭示了不同的训练负荷对力量、速度关系的适应，以及随后的爆发力表现。4组进行12周的肘部屈肌训练（弹射抗阻训练），采用的负荷分别为最大等长肌力为0，最大等长肌力的30%、60%和100%。尽管各组的最大爆发力都显著提高，但在力和速度的关系方面产生了最明显的变化。例如，采用最大等长肌力为0的小组主要在小力量、高速度条件下提高了爆发力，而采用100%的Fmax的小组主要在大力量、慢速度条件下提高了爆发力。这一开创性的研究证明各种负荷训练都能提高最大爆发力，包括大负荷、小负荷、最佳负荷及将各种负荷组合四种方法。爆发力训练需要两条负荷调整策略。爆发力是力与速度的乘积。因此，要最大限度发展爆发力，就必须同时注重力量和速度两项指标。完成中等负荷到大负荷需要快肌纤维参与，这才能发展最大力量。但是，正如力量与速度的关系描述的那样，当采用大负荷时向心收缩肌力增大而速度下降。负荷越大，速度下降得也就越快。因此，进行重负荷抗阻训练可以提高肌肉力量，却不能优化速度或时间要素。在进行爆发力训练时，要以中、低强度的练习完成爆发性用力动作（即基于冲量与动量的关系）。可以根据进行的练习和运动员的训练状态来改变训练强度。

很多研究表明，采用15%—60%的1RM重量快速动作练习（如蛙跳和卧推）有利于发展峰值爆发力。近年来的研究表明，在跳跃过程中较小的阻力（体重）能产生最大的爆发力。有研究显示，在提高峰值爆发力方面采用30%的1RM负荷的训练比采用80%的1RM负荷的训练效果更好。而对于爆发性抗阻练习，可以通过跳跃或投掷重物来快速增加负荷。但是，传统的抗阻练习的重复次数会造成一个很长的减速期，从而在整个动作范围内影响爆发力的发挥。由于减速方面的影响，采用传统重复次数的练习过程中获得峰值爆发力的强度通常高于爆发性练习中获得峰值爆发力的强度（如40%—60% 1RM卧推、50%—70%1RM深蹲）。竞技举重的峰值爆发力通常是在70%—80% 1RM范围内出现的。

虽然采用任何训练强度都可以发展肌肉爆发力，但为了确保训练的有效性和专项性，强调训练的强度要满足专项的需求。例如，美式橄榄球选手（前锋）可以采用中、高强度的爆发力训练，这样可以更加真实地模拟赛场上遇到的情形；跳高选手可以采用较低强度的爆发力训练，因为他们基本上只需要与自身的体重抗衡。因此，较轻的训练负荷可以更加贴近运动项目的要求。为此，峰值爆发力训练需要根据运动项目或场上位置快速完成合理强度的抗阻练习。

按照建议，爆发力训练应当根据不同的阶段采用不同的负荷调整策略。增强力量必须采用重负荷（85%—100%的1RM），增强爆发力则须采用中、低负荷（上半身练习采用30%—60%的1RM，下半身练习采用0—60%的1RM）。建议在力量训练计划中分阶段安排多组数（3—6组），每组重复1—6次的爆发力训练计划。

四、间歇时间

间歇时间的长短取决于训练强度、训练目标、体能水平，以及针对的供能系统的发挥情况。组与组之间和各项练习之间的休息时间会显著影响爆发力练习过程中人体对急性刺激产生的代谢、激素和心肺反应，以及随后的各组练习中的表现和训练适应。间歇时间过短不利于快速力量和爆发力训练的发挥，但是较短的间歇时间对发展肌肉体积和肌肉耐力的训练很有好处。但是鉴于爆发力训练的特殊性，为了使训练者发挥出最大的爆发力，在场上表现出最佳的运动竞技水平，一般要求在训练者完全恢复的情况下再进行下一组练习。

五、赛前恢复

正如我们前面探讨过的，将神经和肌肉的各种因素合理地结合起来，才能产生最大爆发力。某些训练模式会对这些要素产生负面影响。例如，负重抗阻训练会改变肌肉的结构，不利于发展爆发力。所以，在爆发性或速度性项目准备期的训练中，直到赛前4周都要减量训练。当然，这并不是说完全停止训练，因为这样会导致力量和爆发力下降。直到比赛都要显著降低大负荷抗阻训练的训练量，可能降至每周练1次，每次1—3组。

这一策略应根据体育项目的竞技要求而灵活变化。对于对力量和爆发力要求很高的运动项目，如美式橄榄球或英式橄榄球，就必须在赛前和比赛期都坚持大负荷抗阻训练。事实上，在美式橄榄球、英式橄榄球和其他身体冲撞类项目中，直到赛季结束，运动员一直都保持着个人力量的最好水平。

第三节　足球项目爆发力训练方法

一、上肢肌群爆发力训练方法

（一）伏地挺身拍手

练习方法：伏地挺身拍手类似于标准伏地挺身练习。然而，在动作的初期必须尽全力使身体腾空，能够拍手并将手放回原位，然后再回到起始位置。

动作要领：动作过程中保持身体平直，不要弯腰、弓背。

注意事项：俯卧撑过程中，保持一定的动作幅度，核心收紧。

易犯错误：做出弯腰、弓背等错误的代偿动作。（图5-1）

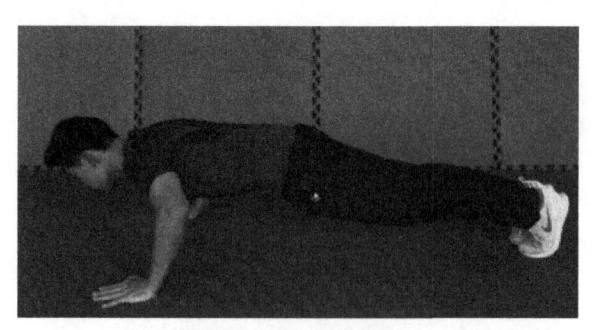

图5-1　伏地挺身拍手

（二）双手击掌俯卧撑传球

练习方法：将球员分成两组，每组一个球；让他们面对面站立，大约间隔10米，指导他们彼此来回传球（必须进行2次触摸）；90秒后，所有球员做一组6—8个拍手俯卧撑；完成后，让他们再传90秒，然后再做第二组拍手俯卧撑，完成所需的练习量。如此循环。

动作要领：传球过程中要保持身体稳定。

注意事项：要控制好传球的力度和方向。

易犯错误：控制不好传球的力度和方向。（图5-2）

图5-2　双手击掌俯卧撑传球

（三）俯卧撑弹起压球

练习方法：保持标准俯卧撑的起始姿势，将足球放在胸部正下方；逐渐降低上体，使胸部触球；用力向上推，双手放在足球上，然后完全伸展双臂；在身体达到最高点时快速移开双手。重复该动作5—6次。

动作要领：传球过程中要保持身体稳定。

注意事项：俯卧撑过程中，要保持一定的动作幅度，核心收紧。

易犯错误：做出弯腰、弓背等错误的代偿动作。（图5-3）

图 5-3　俯卧撑弹起压球

（四）抓举

练习方法：将杠铃平行放在双腿小腿前面；双手虎口对准杠铃杆，以一个连续动作把杠铃从举重台上举至头上，双臂完全伸直。

动作要领：腰背收紧，挺髋。

注意事项：不要弯腰、弓背，保持身体重心的稳定性。

易犯错误：做出弯腰、弓背等错误的代偿动作。（图 5-4）

图 5-4　抓举

（五）挺举

练习方法：以一个连续动作把杠铃从举重台上举至肩际；双腿平行伸

直，保持静止状态；先屈腿预蹲，接着伸腿、伸臂，将杠铃举起至双臂完全伸直，双腿收回，回到起始时的平行、静止状态。

动作要领：动作要符合规范，逐步完成。

注意事项：保持顺畅的呼吸，不要憋气。

易犯错误：长时间憋气，弯腰、弓背等。（图5-5）

图5-5 挺举

（六）手持重物下落

练习目的：发展上肢爆发力，提高手臂的快速动作能力。

练习方法：在足球场摆放3个标志桶和一个2—4千克的壶铃；以第一个标志桶为起点，第二个标志桶距第一个约15米，最后一个标志桶距第二个约10米；手持壶铃加速向第二个标志桶冲刺，在第二个标志桶处放下壶铃并保持自然摆臂；继续朝第三个标志桶加速跑动，随后减速到达终点，然后走回起点；重新开始下一组练习。

动作要领：保持正确的跑姿。

注意事项：抬头，挺胸，保持身体正直。

易犯错误：做出弯腰、弓背等错误的代偿动作。（图5-6）

图 5-6　手持重物下落

（七）快速投抛实心球

练习目的：发展上肢爆发力。

练习方法：球员们两人一组，面对面站立，间隔 3—5 米；单手或双手投球、抛球、推球。

动作要领：动作过程中要保持正确的姿势，控制好动作幅度。

注意事项：选择重量适宜的实心球，做好充分的热身活动，避免拉伤。

易犯错误：动作幅度过大，导致肌肉拉伤。（图 5-7）

图 5-7　快速投抛实心球

二、下肢肌群爆发力训练

（一）单腿跳

练习方法：以右腿进行跳跃，跳跃10次之后，换左腿进行跳跃。重复此动作。

动作要领：保持上体正直，抬头，挺胸；适当摆臂。

注意事项：尽量在足球场或塑胶跑道上进行练习，落地时身体不要过度前倾。

易犯错误：做出膝关节过屈等错误的代偿动作。（图5-8）

图5-8　单腿跳

（二）跳深练习

练习方法：双手叉腰原地半蹲，双眼平视前方；然后尽全力向上跳，身体腾空时屈髋、屈膝。以10次为一组；每组做完后进行充分的休息，待体力恢复再进行反复练习。

动作要领：要半蹲而不是全蹲；跳起时保持身体重心的稳定性，落地要稳。

注意事项：练习过程中，起跳速度要快，腾空时要保持身体挺拔。

易犯错误：做出弯腰、弓背、膝关节过屈等错误的代偿动作。（图5-9）

图5-9　跳深练习

（三）20米冲刺跑

练习方法：蹲踞式起跑或站立式起跑皆可，起跑姿势准备完毕后向前全力冲刺20米；休息至体力完全恢复再进行下一组。

动作要领：跑步过程中要保持身体重心的稳定性。

注意事项：间歇时间不宜过长，也不宜过短；跑动过程中要保持正确的姿势，身体重心不要偏斜。

易犯错误：身体过度前倾，摆臂幅度过大或过小。

（四）半蹲姿势蛙跳

练习方法：双手握在背后，保持半蹲的姿势；向侧面蛙跳5米，然后跳回。以5次为一组，每组做完后进行充分的休息，反复练习。

动作要领：半蹲时身体略微前倾，重心在脚后跟上。

注意事项：侧跳的幅度要尽可能地大，连接动作要快速、协调。

易犯错误：做出膝关节过屈、身体过度前倾等错误的代偿动作。（图5-10）

图 5-10　半蹲姿势蛙跳

（五）站立式快速提踵

练习方法：抬头，挺胸；双脚前脚掌撑地，反复做提踵动作。

动作要领：保持身体正直，不要弯腰、弓背。

注意事项：提踵速度要尽量快，才能起到一定的效果。

易犯错误：动作过程中弯腰、弓背、耸肩。（图5-11）

图 5-11　站立式快速提踵

（六）跪姿跳起

练习方法：跪在瑜伽垫上，保持上体正直，脚背贴着地面；双臂摆动发力，迅速跳起，站稳。

动作要领：脚背要紧贴瑜伽垫；抬头，挺胸，保持上体正直。

注意事项：保持上体正直，不要弯腰、弓背，双臂自然摆动。

易犯错误：脚背发力、借力。（图5-12）

图5-12 跪姿跳起

（七）跳箱练习

练习方法：准备跳箱若干个，由低到高依次排列；训练者依次跳上跳箱，然后跳下，之后再迅速跳上下一个。

动作要领：摆臂、起跳一气呵成，落地后尽量快速起跳。

注意事项：落地后迅速弹起，不要停顿。

易犯错误：落地时膝关节过屈。（图5-13）

图5-13 跳箱练习

（八）起身向前冲刺跑

练习方法：平躺在瑜伽垫上；听到教练发出的指令后，迅速起身冲刺跑动15米，比谁先到终点。

动作要领：动作要连贯、流畅，中间不能停顿，保持正确的摆臂姿势和手臂动作。

注意事项：起身时要尽量压低重心，迅速启动，使摆臂动作与身体协调配合。

易犯错误：重心不稳，身体过度前倾。

变换练习方法：

1.背向跑动方向，起身转体向前跑动。

2.侧向起身，转体向前冲刺。

3.进行前、后、左、右各个方位的平躺起身、跪姿起身。

4.两人一组，起身争抢球。

5.两人一组，一名训练者位于另一名训练者面前，造成阻力，完成起身。（图5-14）

图5-14　起身向前冲刺跑

（九）弹力带跑动

练习方法：两人一组配合练习，一人腰部系好弹力带，另一人站在其身后，双手拉住弹力带的另一端；身系弹力带的训练者尽全力向前跑，后面的训练者在其跑出 5 米后松开弹力带，让身系弹力带的训练者全力冲刺。

动作要领：前面的训练者在加速跑时，身体要保持一定的倾斜度。

注意事项：后面的训练者要在开始的时候拉紧弹力带，接到提示后再松开弹力带。

易犯错误：弹力带松得过早或过晚。（图 5-15）

图 5-15　弹力带跑动

（十）弹力带助力跑

练习方法：两人一组配合练习，一人腰部系好弹力带，另一人拉住弹力带的另一端；两人成一条直线站立，使弹力带保持最大张力；身系弹力带的训练者向弹力带作用力的方向跑动。

动作要领：要始终拉住弹力带，不要松手。

注意事项：冲刺时不要撞到配合者。

易犯错误：拉住弹力带的人松手，或两人相撞。（图 5-16）

图 5-16　弹力带助力跑

（十一）双脚快速交叉跳·跳箱练习

练习方法：起始姿势为一只脚在跳箱上，成弓步膝关节不要超过脚尖，另一只脚在地上；双脚交替跳上木箱。

动作要领：刚开始时速度不要太快，掌握好平衡后可以逐渐加快速度；手臂摆动加速，保持上体正直，抬头，挺胸，双眼平视前方。

注意事项：保持身体稳定，换腿要快。

易犯错误：做出弯腰、弓背等错误的代偿动作。（图 5-17）

图 5-17　双脚快速交叉跳·跳箱练习

三、核心区肌群爆发力训练

（一）快速卷腹

练习方法：平躺在瑜伽垫上，头部放松；双臂在胸前交叉；双腿大、小腿收起，脚掌紧贴地面；腹肌迅速收紧做卷腹动作，腰部始终贴地，臀部略微抬起。快速重复此动作。

动作要领：动作过程中，核心要充分收紧，不要借力。

注意事项：不要用力抱紧头部，以免对颈椎造成伤害。

易犯错误：做出拉扯颈部的错误的代偿动作。（图5-18）

图5-18　快速卷腹

（二）凌空剪刀腿

练习方法：双脚前后开立，成弓步；原地跳起后，迅速在空中换两次腿，恢复到原位。

动作要领：空中换腿要迅速，充分摆臂配合。

注意事项：身体不要过度前倾；双臂配合，自然摆动。

易犯错误：做出身体蜷缩的错误的代偿动作。（图5-19）

图 5-19　凌空剪刀腿

（三）仰卧前抛药球

练习方法：平躺在瑜伽垫上；双手在头顶处持药球；腹肌带动上体和上肢猛然发力，将药球向前掷出。

动作要领：动作过程中要保持呼吸顺畅，动作要自然、舒展。

注意事项：做这个动作之前要充分热身，使身体保持自然、舒展状态。

易犯错误：重心不稳，身体左右摇晃。（图 5-20）

图 5-20　仰卧前抛药球

（四）悬挂举腿

练习方法：双手握紧龙门架的铁杆，目视前方，身体自然下垂，双腿并拢，自然伸直；迅速举腿。重复此动作直至力竭。

动作要领：等身体稳定，不会在空中摇晃时再进行举腿练习。

注意事项：保持身体稳定，不要前后摇晃。

易犯错误：身体左右摇晃、举腿高度太低。（图5-21）

图5-21　悬挂举腿

（五）仰卧快速两头起

练习方法：平躺在瑜伽垫上；双腿自然伸直，用双手去摸脚尖；腹肌迅速收紧。重复此动作直至力竭。

动作要领：动作过程中要保持呼吸顺畅；动作越快，效果越好。

注意事项：动作过程中身体不要左右摇晃，身体完全平躺后再继续做此动作。

易犯错误：身体不稳定、动作幅度太小。（图5-22）

图5-22　仰卧快速两头起

第六章

青少年足球运动员耐力素质训练

第一节　耐力素质及其影响因素与生理学基础

一、耐力素质

耐力素质指身体在一定时间内保持特定强度负荷或动作质量的能力。"一定时间"指不同专项对运动时间的规定性。保持特定的运动强度或动作质量是耐力水平的体现。耐力水平的提高表现为更长时间地保持特定强度或动作质量，或在一定时间内承受更高强度的能力。运动员要在竞赛全过程保持特定的运动强度或动作质量，就必须具备良好的耐力素质。按人体的生理系统分类，耐力素质可分为肌肉耐力和心血管耐力。肌肉耐力也称为"力量耐力"，心血管耐力又分为有氧耐力和无氧耐力。有氧耐力指身体在氧气供应比较充足的情况下坚持长时间工作的能力。有氧耐力训练的目的在于提高运动员身体吸收、输送、利用氧气的能力，促进身体的新陈代谢。无氧耐力指身体以无氧代谢为主要供能形式，坚持较长时间工作的能力。无氧耐力又分为磷酸原代谢供能无氧耐力和糖酵解代谢供能无氧耐力。在无氧代谢供能的肌肉活动中，CP分解供能，不产生乳酸，叫"磷酸原代谢供能"。身体处在这种状态下，坚持较长时间工作的能力，称为"磷酸原代谢供能无氧耐力"。在无氧代谢的肌肉活动中，糖的酵解供能产生乳酸。身体处在这种状态下，坚持较长时间工作的能力，称为"糖酵解代谢供能无氧耐力"。根据肌肉工作的力学特征，耐力素质可分为静力性耐力（如立姿步枪射击）和动力性耐力。根据耐力素质对专项的影响，耐力素质又可分为一般耐力和专项耐力。一般耐力指对提高专项运动成绩起间接作用的基础性耐力；专项耐力指与提高专项运动成绩有直接关系的耐力，具体讲指持续完成专项动作或接近比赛动作的耐力。

二、耐力素质的影响因素

耐力素质取决于运动员的有氧代谢能力、体内能源物质的储存、支撑运动器官承受长时间工作的能力、心理控制能力和对疲劳的耐受程度。提高运动员的摄氧、输氧及用氧能力，保持运动员体内适宜的糖原的储存量，提高其肌肉、关节、韧带等支撑运动组织对长时间负荷的承受能力，加强运动员的心理调节、控制能力，改进运动员在疲劳状态下动员身体潜力、持续工作的自我激励能力是发展运动员耐力素质的重要途径。长时间的单一练习，如跑步、游泳、骑自行车等既能发展身体有氧代谢的能力，又能发展进行该项运动的主要工作肌群及关节、韧带的工作耐力；长时间变换内容的练习则能够减轻局部运动组织的工作负荷，着重培养运动员有氧代谢的能力。

三、耐力素质的生理学基础

有氧耐力指身体长时间进行有氧供能（靠糖原和脂肪有氧分解供能）的工作能力，这种有氧耐力可以通过人体的最大摄氧量反映出来。

有氧耐力训练的生理适应性主要表现在以下几个方面：

第一，呼吸器官的机能可以得到良好的改善。

第二，红细胞所含的血红蛋白与氧的结合能力提高。血红蛋白有结合氧、携带氧的能力，可以经循环系统将结合的氧运送到肌肉和其他组织。经常锻炼身体可以增加红细胞的数量，提高血红蛋白结合氧的能力和身体的有氧耐力。

第三，肌肉中的糖原、脂肪在酶的作用下进行旺盛的有氧代谢，同时必须影响最大吸氧量。

第四，心血管系统的机能是影响最大摄氧量的重要因素。

无氧耐力指身体在缺氧状态下长时间对肌肉收缩供能的工作能力。

无氧耐力训练的生理适应性主要表现在以下几个方面：

第一，肌肉内无氧酵解供能能力提高。

第二，身体缓冲乳酸的能力提高。

第三，脑细胞对血液酸碱度变化的耐力提高。

第二节 足球项目耐力素质训练计划设计

任何训练计划结构都必须有助于运动员比赛成功、预防其损伤和增强其自信。对于任何运动项目，各种训练方法都可以产生最大生理适应。但是，训练计划的设计必须结合专项、赛季和运动员的个人需要。制定有氧耐力训练计划需要深思熟虑，富有创意，因为耐力训练内容和手段非常丰富。要创造性地使用有氧耐力训练计划的设计原则，着重减少训练过度的风险，提高有氧耐力。

最新实验室和场地研究结果显示，综合性力量、速度和耐力训练可以发展多个生理系统，长距离慢跑已不是唯一的有氧耐力训练方法。这些研究表明，将传统的长时间与中等强度训练或短时间与高强度训练结合，可以产生相同的效果。虽然这三种主要的训练策略对一套均衡的训练计划而言都很重要，但专项性和多样性才是获得理想体验和成功结果的关键。

耐力训练计划是由多个要素组成的，这些要素包括练习手段的选择、训练强度和训练量的控制、同期训练、赛前训练量、恢复。改变其中的一个或多个要素都会对训练的刺激作用产生影响。因此，合理安排耐力练习，就要针对特定的目标控制好各个因素。

一、练习手段的选择

耐力训练过程中选择的练习手段对提高竞技能力和生理适应能力都起着

极其重要的作用。从生物力学的角度出发，可以通过肌肉收缩的类型、关节活动的类型及练习的运动链形式来确定各种练习。在选择练习时，体能教练还需要考虑一些实际问题，如训练的时间、训练的方式、训练的条件。

二、训练强度与训练量的控制

训练强度经常用来表达有氧训练过程中承受负荷的时间。训练强度很大程度上取决于其他要素，如练习顺序、训练量、训练频次、练习时间等。训练强度的安排取决于运动员的训练状态和目标。

有氧耐力运动项目最常用的训练类型是长距离慢速训练（Long Slow Distance，LSD），其特点是在长时间内保持中等强度（相当于 VO_{2max} 或 HR_{max} 的 60%—70%）。通常，其训练距离比比赛距离多出至少 30 分钟的距离。中等强度的训练（长距离中慢速训练）通常占有氧耐力运动员训练量的绝大部分。该训练模式有时也被称为"基础训练"。它使运动员能够参与较大的训练量而不会对肌肉、骨骼系统产生很大的压力。此外，基础训练还有助于提高有氧耐力练习预期产生的心肺系统和心血管系统适应。这些适应对于在训练过程中随着比赛日期的临近而逐步提高训练强度和训练量、增加训练时长是必不可少的。培养基础有氧能力还可以提高在训练课之间的恢复能力。研究显示，长时间的运动可以促进肌糖原的消耗，并极大地提高脂肪代谢的速度，同时还可以长期促进心搏量、线粒体密度的增加及氧化能力的提升。此外，经常参与一些有氧耐力训练的运动员还建议，等于或大于比赛距离的长时间持续运动会在心理上带来更多好处。

这种训练方法采用的强度通常高于比赛强度，对应的是略高于乳酸阈值的强度。运动员的乳酸阈值是乳酸开始积累时的运动强度，此时有氧供能不能再满足更高水平的能量需求，这样最终会产生疲劳。该强度训练可以采用恒定不变的步速来完成，因此通常被称为"速度/节奏训练"（Pace/Tempo Training）。速度/节奏训练的强度接近于乳酸阈值。该训练可持续 20—30 分钟，既能产生有氧生理适应，也能产生无氧生理适应。

运动员可以采用这种强度进行间歇训练。有氧/无氧间歇性训练通常被称为"法特莱克训练法"（Fartlek Training），主要用来培养一种速度感，提高乳酸阈值，并提高身体保持更高强度和更长时间的运动的能力。具体来说，法特莱克训练法间插短暂高强度（VO_{2max} 或 HR_{max} 的 85%—90%）短距离跑或上坡跑，以及中等强度训练（VO_{2max} 的 70%）。

由于法特莱克训练法可以结合慢速长跑训练和中等时间的速度/节奏训练，它适用于所有的运动项目。例如，自行车运动员可以快速骑行一个街区，减速慢行一个街区，如此循环往复。

间歇性训练是经常参与有氧耐力训练的运动员普遍采用的一种有效的训练方法。间歇性训练的强度等于或高于 VO_{2max}，通常持续时间为 30 秒到 5 分钟。

对于经常参与有氧耐力训练的运动员，间隔休息时间通常等于或少于运动时间，从而使练习、休息比保持在 1∶1 或 2∶1。可以在赛季的各个不同阶段采用各种练习、休息比，在较短时间内进行大量高强度的训练。

很多研究致力于间歇性训练的短期和慢性效应。与传统的有氧耐力训练相似，间歇性训练可以提高心肺能力、心血管能力、血流量、乳酸阈值和肌肉缓冲能力。这些因素对于提高竞技能力是必不可少的，并且与慢速长跑训练中产生的适应很相似。因此，如果采用 20 分钟的间歇性训练能够达到与 45—60 分钟的慢速长跑训练达到的有氧耐力能力相似的适应，那么间歇性训练显然更加高效。另外，它可以减少身体的压力。

三、同期训练

"同期训练"作为一种训练方法,英文翻译为"Simultaneously Training"或"Concurrent Training"。美国学者Wilson认为,同期训练是将力量素质和耐力素质的任务安排在相同训练时期的一种训练方法。

美国运动生理学家Hickson认为同期训练是不同的训练刺激作用到同一身体的训练方法。同期训练根据人体对训练刺激适应的专门化原则,人体对力量和耐力训练刺激的生理适应机制不同。

研究表明,单独力量训练刺激会使人体产生以下生理适应:肌纤维肥大,肌纤维神经募集能力提高,肌肉线粒体密度减小、数量减少,肌肉力量增加,有氧能力不变或下降。然而,耐力训练刺激会使人体产生以下生理变化:心肺功能提升,肌肉线粒体密度和数量增加,有氧酶活性增强,最大耗氧量增加,有氧能力提高但力量能力不变或下降。同期进行力量和耐力训练刺激会对人体产生不兼容性影响,导致人体力量下降。

四、赛前训练量

运动训练学把训练负荷定义为"运动训练过程中,以身体练习(又称'运动动作')或心理练习为基本手段对运动员的身体施加的训练刺激"。训练负荷是运动训练过程中最为活跃的因素,可以使运动员的身体对训练负荷产生适应性变化,增强机能,提高竞技能力。大多数项目对赛前训练负荷安排的研究主要集中在对不同训练周期的负荷安排模式,以及对负荷量和负荷强度的关系的探讨上。负荷强度和负荷量是一对既相互矛盾又对立统一的共同体。在运动训练的过程中应尽可能地安排好负荷量和负荷强度的比例。在训练中,不同的训练强度和训练量对身体产生的影响是不同的，要看训练负荷与身体能承受的"临界负荷"的关系。

赛前的有氧训练应该适当减少，以促进身体的恢复，避免过度疲劳。赛前可以进行一定的有氧训练，但是要保证运动员充分地恢复。赛前减量训练法的理念是让经常参与有氧耐力训练的运动员减少训练量，并在最关键的时候达到最佳竞技状态。赛前减量训练法涉及训练频率、训练时间和训练强度的改变，以及整个减量训练阶段的持续时间。最近，训练强度已经成为有效减量训练法中的重要内容。使用中等强度减量训练（小于 VO_{2max} 的 70%）会导致运动员竞技状态下降；相反，缩短训练时间但保持高强度（大于 VO_{2max} 的 90%）的训练对提高竞技状态很有效。对经常参与有氧耐力训练的运动员来说，赛前减量训练通常应当持续 7—16 天。

五、恢复

有氧耐力训练最容易被忽视的就是恢复。由于有氧耐力训练运动量大，有时采用高强度，运动员面临着训练过度的巨大风险。训练过度是压力过大的结果，这种压力包括生理上的和心理上的，同时还与没有得到充分的休息有关。"训练过度"被定义为"在经过一段时间的训练或比赛后出现的长时间疲劳和竞技状态不佳。它至少会持续两周，主要表现为竞技状态下降"。除了竞技状态下降，训练过度的症状还包括易受细菌感染、体重下降、睡眠发生变化、易怒、食欲不振、抑郁、焦虑、注意力不集中、早晨心率高等。训练离不开负荷，没有负荷就不能称其为"训练"。训练同时也不能离开恢复，如果没有恢复，负荷只会导致运动员身体能源物质的消耗和机能的下降。有氧训练后可以采用积极的恢复方式，如按摩、物理治疗、营养补充等。

第三节 足球项目专项耐力素质训练方法

一、小组型集体有氧素质训练

（一）后中场四个防守阵型训练

场地设置：将八个球员分成四组，两两一组。可以选择在球场进行；将8个标志桶放在2条水平线上，并且两排标志桶一一对齐，相距约15米；其中一组每名球员都站在标志桶旁边（不允许随意移动或进入游戏区），第二组球员站在第一组球员对面的每个标志桶旁（他们作为防守队员）。这四名防守队员中的一名应该有一个球。（图6-1a）

图6-1a　　　　图6-1b

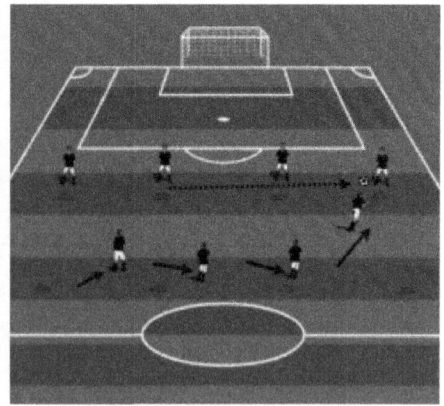

图 6-1c　　　　　　　　　　　　图 6-1d

图 6-1e

练习方法：比赛由防守队员发起，可以另一排四名球员中的任何一人传球，最左边的球员得到球。此时，最左边的防守队员立即对球施加压力，而剩下的防守队员提供掩护（图 6-1b）。接球的球员必须先触球，然后将球传给左边的任何球员。当发生这种情况时，防守队员（左数第二个）成为第一个防守队员，并立即对球施加压力。剩下的防守队员提供掩护。（图 6-1c）

接球的球员（左上角的第二个）必须触球后，才能将球传给其他的球员，或将球传给左边的两个球员中的任何一个。右边后卫现在成为第一个防守队员，同时中卫和左后卫移动到相应位置，以提供掩护（图6-1d）。持续练习10分钟，休息1分钟；然后两组切换攻防角色，完成4—6组即可。

训练要点：当进攻队员对持球的防守队员施加压力时，防守队员必须尽快赶到队员那里进行解围和掩护，带球接近球员时要逐渐放慢速度；后卫也必须尽可能快地移动，运用正确的技术动作（或后面的脚左右移动）；所有防守队员都应保持正确的防守准备姿势，鼓励球员相互传球，进行一次触球，并且尽快传球，但要保证高质量的传球。

变换练习：可以通过把第三组四个球员安排在球门线位置来进行这个练习。在顶部传球的小组现在应该尝试向球门线位置的小组中的一名球员进行传球。（图6-1e）

（二）间歇式单人运球训练

场地设置：可以在足球场内划定一个特定范围进行训练，每人配备一个足球。

练习方法：指导球员在比赛场地内进行运球，同时保持抬头，目视前方，球员只能在划定的范围内运球移动并且不能停顿，球员之间尽量不要碰撞；所有球员尽可能快地运球，每次持续3—5分钟，然后加快运球速度，持续1分钟。组间间歇的时候，球员可以放松走动30秒，然后盘带3—5分钟，再加快速度1分钟（运球—快速运球—步行）。这样的循环练习持续30—40分钟。

训练要点：在划定区域进行运球时，脚上动作幅度要小，频率要快；抬头，挺胸，双眼平视前方。当快速运球时，尽量使用脚内侧进行运球；同时鼓励球员多展现个人技术。

变换练习：每重复一到两次之后，改变运球脚和脚的运球位置；同时也可以两人一组，一人运动，一人进行干扰，来增加难度。

（三）盘带、传球和短跑练习

场地设置：可以选择足球场内进行，划定一个长30米、宽20米的长方形范围，用旗子或大标志桶在比赛场地的中心划定一个直径为5米的圆圈，设置一个或两个门（由两个小标志桶组成，两个标志桶相距1米），随机放置在任意两个比赛区。但是两个门之间距离不宜过小，最好在10米以上。在两个门设置两个守门员，其他的球员则各持一个球站在圆圈中心。（图6-2a）

图6-2a

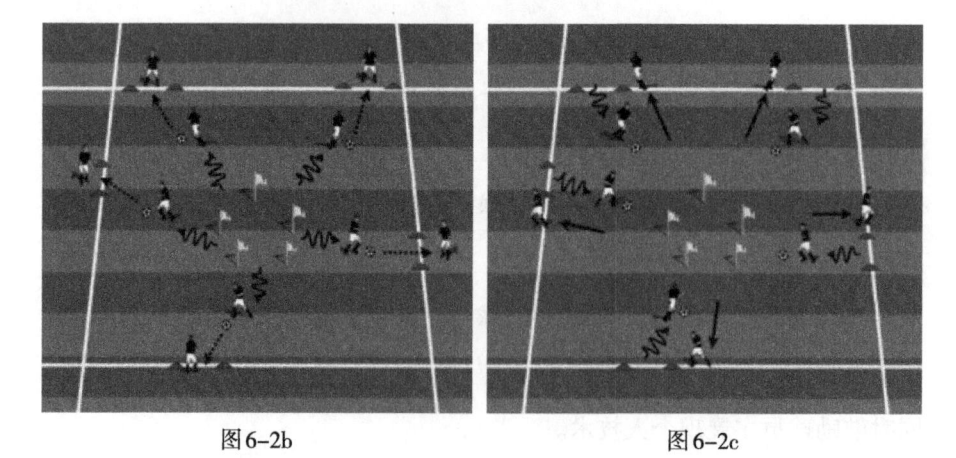

图6-2b

图6-2c

准备好后，引导圆圈中心的球员向站在门前的其他球员运球。当他们离球员大约5米远时，让他们传球到对方球员的脚上，然后在大门之间占据那个球员的位置（图6-2b）。一旦站在大门之间的球员接到传球，他们必须通过中心圆圈运球，然后向站在比赛区周围任何一个大门的球员运球（图6-2c）。和以前一样，当他们离大门大约5米远时，应该向站在门口的球员传球，然后占据那个球员的位置（进攻球员和防守球员的数量应该相等）。持续这样的练习5分钟，然后让球员休息1分钟；整个练习持续25—30分钟。

训练要点：运球时，球员应保持抬头；鼓励他们尽量快速运球，但要控制好球；同时要求他们变换不同的脚和用脚的不同位置来运球。

二、单人有氧素质训练

（一）法特莱克训练法

法特莱克跑是斯堪的那维亚人发明的一种利用地形、地貌或人为设置的加速和减速段来发展人的耐力的方法。跑时，训练者要根据自我感觉和地形的变化来自行变换速度，但应对全程或某一分段内的加速跑次数做些规定，并且可以自由决定减速段的长度及法特莱克的结构。跑的时间不超过30分钟。例如持续慢跑2—3分钟，中速跑100米，接着持续跑2—3分钟，再用中上速度跑50米（上坡），并持续快跑200米直到结束。持续跑的负荷和间隙休息都保持在较高水平和最佳心率范围内（120次/分钟—180次/分钟，18—25岁），这样对心脏功能有较大的锻炼作用。同时，由于肌肉活动有间歇时间，也有利于提高训练效果及身体抵抗疲劳的能力。

（二）越野跑

越野跑是一种在野外自然环境中小径上跑步、徒步的运动。它与公路跑和场地跑的区别在于：跑者主要在野外自然环境中的小径上跑步，通常会经过山地，经过较大的起伏。英文的"越野跑"通常指Trail Running，也称作"山径越野跑"或"跑山"，这一类的越野跑比赛中一般会出现40公里以上的长距离赛道。同时，"越野跑"在英文里也可用来指田径越野跑（Cross Country Running），它是一项国际田联赛事，通常赛道较短，不超过12公里，规则比山径越野跑严格。

在野外自然环境中进行的一种中长距离的赛跑既是独立的竞赛项目，也是各项运动经常采用的训练手段，没有固定的距离，也不受场地、器材的限制，每次练习或比赛都是按当时、当地的自然环境条件选择路线，决定起点和终点。

（三）变速跑

变速跑是快跑与慢跑交替进行的一种运动。医学研究证明：变速跑不仅能丰富锻炼内容，增加跑步兴趣，而且对提高人体机能也大有好处。

一般来讲，慢跑时，运动强度较低，吸入氧气可以满足肌肉的需要，肌肉活动需要的能量由有氧代谢来保证供给，即依靠吸入的氧气氧化体内的糖、脂肪等能源物质来产生三磷酸腺苷，保证肌肉活动需要的能量。转为快跑后，人体对氧气的需要量大大增加，这时由于心肺功能水平的限制，不能全部满足运动对氧气的需求，于是，就需要部分地依靠无氧代谢来供应肌肉活动需要的能量。无氧代谢过程中产生的乳酸等酸性代谢产物会引起肌肉和血液内酸碱平衡的改变。长此以往，身体在锻炼过程中就对酸性代谢产物产生适应，并提高血液中的碱储备等，以保持人体内的酸碱平衡。同时，变速跑还能进一步提高运动时心肺功能的活动水平。这样，变速跑不仅像匀速跑一样，能有效地提高身体的有氧代谢能力，而且能有效地提高无氧代谢能力，使身体更加健壮。

第七章

青少年足球运动员灵敏素质和协调能力训练

第一节　灵敏协调能力及其影响因素

一、灵敏协调能力

Sheppard 等认为灵敏素质指全身做出快速运动，通过改变速度或方向来对外界刺激进行反应的能力。《运动训练学》指出，神经系统是人体生长、发育最早和最快的系统，在此时期，神经系统的可塑性大。如6—12岁的孩子节奏感较好，7—11岁的孩子具有良好的空间定向能力，7—12岁的孩子具有良好的反应能力等，这些都为发展灵敏素质提供了良好的条件。而良好的灵敏素质能够确保足球运动员熟练、协调、准确地完成急停、急起、急停后转身急冲等动作，以及面对刺激时快速反应的能力。

协调性又称"协调素质"，指运动员身体不同系统、不同部位、不同器官协同配合完成技术动作的能力，协调能力是形成运动技术的重要基础。人体运动协调能力由反应能力、空间定向能力、本体感知能力、节奏能力、平衡能力、动作认知能力等多种要素构成。足球运动员的协调能力不仅对于掌握、完善技术战术极为重要，而且良好的协调性还有助于足球运动员完成复杂的动作。人体在专项运动过程中需要的身体协调性应包含以下几个方面：专项运动要求的人体移动速度，专项运动所需的人体运动方位，身体重心、支撑脚等的高效转换，多重技术战术的选择和执行等。以上这些方面对足球运动来说都很重要，例如，足球运球的突破，不论采取什么样的方式，都包括四个阶段：运球接近对方、减速、调动对手、超越对手。在这四个阶段中，人体主要的动作形式除运球动作之外，还有单脚跳跃、身体虚晃、转身、下肢摆动等，这些动作的完成无不需要较好的协调能力，所以加强协调能力的训练是重中之重。足球运动员的所有协调技能在11—19岁会大幅增加，11—13岁是足球运动员发展最有利的时期，14—16岁是下一个最有利的时期。在11—16岁这个年龄段，应认真关注对这些技能的培训。16岁以后进行协调技能的培养会更加困难，需要更多的时间。所以，及时发展校园足球运动员的协调能力具有重要的意义。

二、灵敏协调能力的影响因素

灵敏协调能力在早期被定义为以一种可控的方式快速改变方向或身体位置的能力。然而，这可能是一个过于简单的定义。敏捷性体现为一些素质的组合，包括走走停停的能力、身体的方向和姿势、平衡、协调、快速反应和良好的足部工作。在提到敏捷性时，人们经常想到一个名字——巴塞罗那队和阿根廷队的莱昂内尔·梅西（Lionel Messi）。他的停球和跑动的能力、快速改变方向的能力，以及在运球时躲避无数挑战的能力都是完美无缺的，几乎体现了敏捷性的所有方面。

（一）加速和减速能力

提高在多个方向上快速获得高速（加速）和快速降低速度的能力，同时控制（减速）是敏捷性训练的重点。良好的姿势（胫骨和身体的正角度小）、爆炸性的步骤、快速的手臂动作对于快速加速至关重要，而良好的平衡和高水平的下半身力量，特别是偏心力量是必需的。强调减速或停止的敏捷性训练对足球运动员来说也非常重要，因为在一个动作的减速阶段会对运动员造成很多伤害。

（二）平衡能力

良好的平衡，尤其是动态平衡，是敏捷性开发的关键，这是因为在快速加速或减速后改变方向涉及身体重心的快速移动。没有良好的平衡能力，移动的速度和质量都会受到影响，平衡练习每周至少要进行一次。

（三）反应速度

玩家对游戏中的某些暗示或刺激的反应速度将对他们的表现产生重大影响。当防守队员在禁区内盯人时，他们必须在接到球后立即做出反应并迅速将进攻者逼抢。防守中场必须不断地回应"左肩！"。当他们试图把球传给身后的前锋时，他们会接中后卫的传球。对时间的反应能力可以通过练习来提高，在练习中，玩家必须对各种感官刺激（听觉、视觉等）做出反应，造就一个训练有素的神经肌肉系统。重要的是，这些刺激及由此产生的反应是特定于足球的，并且可能在一场比赛中发生多次。

（四）动作节奏的控制

在全速奔跑时控球，然后立即绕过阻截去传球，这表明了协调性的重要性，也具备有组织地做几个复杂动作的能力。通过让玩家逐步完成更复杂的活动，如敏捷阶梯上的模式，或在更短的时间内完成特定的模式，可以实现更好的协调。

（五）身体方向及姿势的控制

玩家对特定情况的反应速度取决于他们如何定位自己，拥有一个低重心和一个积极的角度是第一步。身体的方向在很大程度上是由姿势决定的，因此，在训练敏捷性时，开发一个强大的核心是优先事项。

（六）步法

当一名边锋带球全速逼近时，或当一名守门员挡住球门时，他们必须有良好的步法。他们不仅要快速移动双脚，而且要正确地移动双脚；也就是说，没有脚交叉的小步。良好的步法（快速和协调）不仅对于边后卫和守门员是必要的，而且对于所有的位置都是必要的。为了有效地训练并开发敏捷性，必须考虑到敏捷性包含的所有潜在的物理、认知技能或质量（图7-1）。

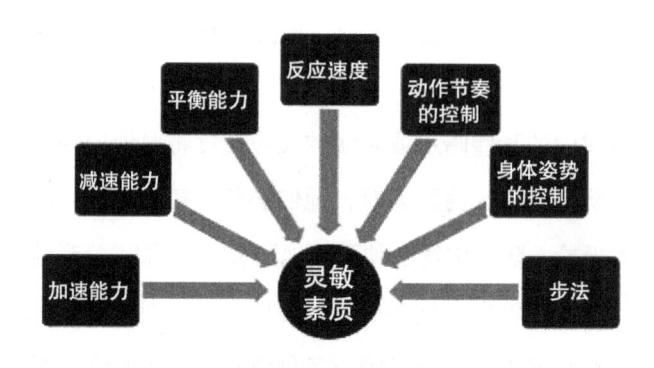

图7-1　灵敏素质的要素

速度是极为重要的身体素质之一，良好的速度素质有利于青少年快速完成任意的特定动作。现代足球运动攻防转换速度极快，不仅需要运动员向前、向后、侧向及按对角线移动，还需要运动员掌握快速变向，在快速运动中制动和在静止状态下快速启动，这些都对运动员的速度及敏捷性提出很高的要求。身体运动功能训练的理念与传统的进行单方向、单关节、时效性低、有序的体能训练理念不同，它围绕多维度、多关节，无轨迹、无序的场上所需的动作设计动作模式，强调的是动作的质量，能够有效地展现运动技能。本书以多方向为出发点设计速度训练方法，用绳梯、小栏架、标志桶等器材设计发展运动员灵敏素质的训练方法。

第二节　足球项目灵敏协调能力训练设计

一、灵敏协调能力训练设计要求

当需要进行敏捷性训练时，选择的训练将取决于球员的年龄和经验，以及赛季的阶段。年轻和缺乏经验的球员可能敏捷开发水平较低，应该专注于建立健全的机制和技术。这些球员进行的大部分应该是基本水平训练，在这一阶段球员确切地知道他们需要执行什么动作模式。球员应该以适当的速度开始练习，正确地完成模式。一旦他们掌握了这个动作，应该尽可能快地去做。这些练习的击球部分（例如接球和传球）应该相对简单，因为练习的重点是敏捷性。对于更有经验的球员，选择的训练将主要取决于所处的赛季阶段。从休赛期进入赛前阶段时，需要采用从简单到复杂的训练模式，以及强调反应的训练，因为大多数涉及敏捷性的游戏都是强调反应能力的。在比赛阶段，可以交替进行不同难度的练习，但大多数练习应该属于高级训练。无论哪一节课，安排2—3个练习，每个练习重复8—10次都足够了。因为敏捷性训练对神经、肌肉系统的要求很高，需要协调的努力，所以应该在训练的早期进行。然而，当球员掌握了各种敏捷性技能，其对手可能在其更累的时候开始练习，因为其很可能在疲劳状态下做出相同的动作。敏捷性训练还需要更短的工作时间、更长的休息时间，因此练习和休息时间的比例约为1∶5或1∶6。对变向能力做过初始诊断后，球员就可以开始进行发展变向能力的训练。无论训练计划的目的是提升力量、速度还是有氧耐力，都需要进行短期和长期规划，使训练效益最大化，使运动疲劳和损伤最小化。这就需要对运动员的训练计划进行科学的设计。这些变量包括在一定阶段内的练习手段的选择，练习顺序、频次、强度，训练量和休息时间，可以参考那些已在实践中取得效果的控制因素。当然，这是以这些研究结果的有效性为前提的，应以运动员实际训练计划为背景，把灵敏素质训练和协调能力训练结合在一起。

二、练习手段的选择

选择练习手段应根据运动员可能遇到的比赛情况来决定。例如，足球运动员比赛时主要在宽阔的场地上活动。一般来说，运动员的场地动作模式主要包括长跑和变向，这样，他可以及时跑入空当而让队友找到缺口进行射门。因此，40码、60码、100码往返跑，40码侧向往返跑和55码后退跑都将是适宜的练习手段。进行长距离往返跑（如40码侧向往返跑）的运动员不会选择40码直线跑的练习，但可能进行8组的5码变向跑练习。这些练习手段不仅包括变向练习内容，而且考虑到了足球运动员在场上的跑动距离。同样的练习手段也可能适用于美式橄榄球比赛中的外接手和跑卫队员。因此，灵敏素质练习手段的选择既要考虑运动项目本身的特点，还要考虑比赛中不同位置的要求。选择练习手段时还应考虑运动员的初始练习水平。在接受复杂的训练前，新手运动员或低水平运动员可能需要一系列初始的基本练习，以适应训练计划的要求。

三、练习顺序

在一个训练期内，灵敏协调素质训练的练习顺序主要取决于运动员的训练水平。总的来说，新手运动员可由简单的练习（较短的练习时间、较少的变向次数）过渡到复杂的练习（较长的练习时间、较多的变向次数），这样就可以逐渐熟悉变向训练任务要求的动作模式和身体特点。高水平运动员可以使用与新手运动员相同的练习顺序，把低复杂性的练习作为热身，为后面过渡到高复杂性的练习做好准备。高水平运动员也可以在一开始就直接进入复杂训练，但要先完成低强度的重复训练，再过渡到高强度的重复训练。

四、频次

频次指在单位时间内练习的次数。每周进行2次变向能力训练，练习4周就能产生效果。在成功的训练研究案例中，最常见的训练频次为每周2—3次。这些训练计划的持续时间为6—14周，其中以8—10周最为普遍。无论如何，为了提高变向能力，一个灵敏协调素质训练计划的频次必须保持在每周2—3次，并持续数周。

五、强度

强度的实质定义是在练习中身体付出的努力的程度。在其他训练中通常把强度规定为训练参数最大值的百分比，例如，阻力练习强度通常被量化为一次最大重复次数（One-repetition Maximum，1RM）重量的百分比，在有氧练习中则被量化为最大心率百分比或最大摄氧量百分比。灵敏素质训练并不使用阻力训练和有氧训练中的参数来定义其强度。在灵敏素质训练中，运动员以最大或接近最大的努力和速度进行练习来发展自己的变向能力。这是因为从定义上来说，这种急停一启动动作通常在瞬间发生，且两个动作之间的停顿时间很短。

六、练习量

因为灵敏协调素质练习的强度不发生改变，所以练习量必须成为可以操控的变量，从而调节训练计划的难度。练习量指一节训练课内练习的总量，可以通过累加每个练习来计算练习量，进行一次就算完成一个练习。如果运动员重复做5组绳梯练习和5组圆锥体练习，他的练习量就是10次。为了增加练习量，运动员可以在一节训练课中增加每个练习的重复次数，或增加练习的次数。目前没有在科学文献中找到关于达到最佳训练效果的最佳练习量的研究成果。一般认为5个练习完成5—25次就算达到训练量了，当然也要根据运动员的体能水平和练习的性质（复杂程度、难度）来适当调整。例如100码往返跑可总共练习3—5次，而20码往返跑可总共练习20次（分2组进行，每组10次）。新手刚开始进行灵敏素质训练时，可根据练习的难度，每个练习进行5—10次。此外，训练的次数也可根据个人的准备情况来调整。每个练习不必进行相同数量的重复次数，应更重视薄弱方面的训练。

七、休息

每组练习和每项练习之间都应有休息时间，从而保证运动员保持正确的技术。1∶4—1∶6的练习和休息时间比（Work-to-rest Ratio）比较适宜。例如，一次持续15秒的练习可以提供1—2分钟的休息时间。根据运动员的现有体能水平和灵敏素质的复杂性，可以对休息时间进行调整。体能差的运动员可能需要更长的恢复时间；同样，那些接受高难度或大挑战性练习的运动员也可能需要更长的休息时间。事实上，最大可至1∶20的练习和休息时间比并不常见，因为运动员在完成每次练习时都要付出最大努力。

八、训练计划的结构

一个普通的灵敏协调素质训练计划的结构与其他训练计划相似，包括这几个方面的内容：一般热身、专项热身、主要训练课和放松活动。一般热身包括大肌肉群参与的练习和低强度练习（慢跑），目的是提高身体核心区温度，为训练做准备。专项热身也属于准备练习，但更接近于专项化训练目标。在此阶段，可先进行一些低强度的灵敏素质练习（走），为进行主要训练课中的变向练习做好准备。低负荷练习的放松活动可以被视为相反过程的热身活动，其目的是逐渐让身体恢复到训练前的状态。

第三节 灵敏协调能力训练方法

一、无球的灵敏协调能力训练

（一）灵敏协调综合性练习

练习目的：发展速度素质、协调能力和灵敏素质。

场地设置：可以选择在足球场内进行；需要绳梯、小栏架、标志桶，如图7-2进行摆放。

练习方法：训练者面对绳梯站在起点，小步跑穿过绳梯，两步一格；连续双脚或单脚跳过每个栏架；始终面向前方，沿箭头方向进行加速跑；穿过四个标志桶后，加速急转摸C点的标志桶，继续加速冲刺，穿过最后一排标志桶。

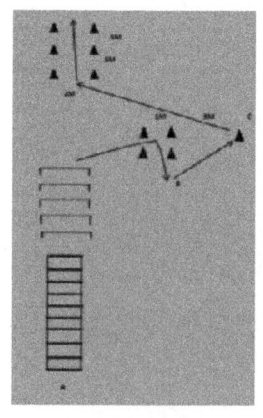

图7-2 灵敏协调综合性练习

训练要点：双臂前后协调摆动；跳小栏架时脚尖着地，迅速起跳；变向跑摸标志桶时，步法要灵活，控制身体平衡，防止摔倒。

注意事项：控制身体的姿势，保持动作的协调。

变换练习：各个练习环节的顺序可以随意变换，每个环节的练习动作也可以变换。如通过小栏架可以采用跳的动作，也可以采用跑的动作；通过绳梯可以采用跑的动作，也可以采用跳的动作。

（二）弓形跳练习

练习目的：发展灵敏素质、协调能力和速度素质。

场地设置：可以选择在足球场内进行；将7个栏架按弓字形摆放为一组，每组间隔1米。

练习方法：单脚站立在栏架后方；向前跳过栏架，然后向右跳过栏架再跳回；向前跳过栏架，然后向左跳过栏架再跳回。如此重复进行。

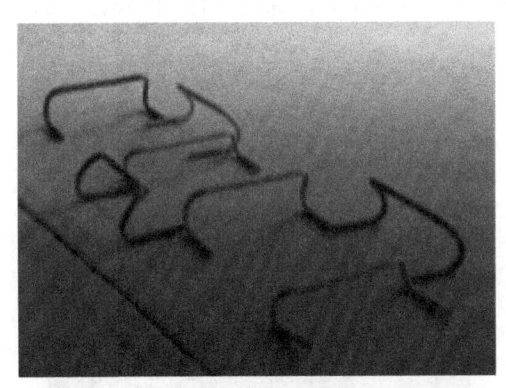

图7-3　弓形跳练习

训练要点：跳跃过程中始终保持单脚跳跃，另一只脚不能落地，也不能中途换脚；双臂摆动，带动身体移动，保持平衡。左、右脚都要进行练习。

注意事项：控制身体的姿势，保持动作的协调。

变换练习：可改为双脚跳；可改变跳跃的方向，如侧向、背向；可改变跳跃的路线，例如将栏架按8字形、H形、口字形摆放等。（图7-3）

（三）单脚高抬腿跳练习

练习目的：发展速度素质、协调能力和灵敏素质。

场地设置：在较大场地上纵向放置8个栏架，每个栏架间隔半米，每组间隔1米。

练习方法：双脚开立，与肩同宽；单脚高抬腿向前跳过第一个和第二个栏架，再向后跳一个栏架。如此重复进行，向前跳两个栏架，再向后跳一个栏架。

训练要点：跳的过程中要保持正确的姿势，抬头，挺胸，前脚掌着地；单脚落地后，要用力蹬地，单腿屈膝向上抬至最高点；双臂用力向上摆动，带动身体向上。

注意事项：控制身体的姿势，保持动作的协调。（图7-4）

图7-4　单脚高抬腿跳练习

（四）侧身移动

练习目的：发展灵敏素质和协调能力。

场地设置：可以选择在足球场内进行；将7个标志桶如图7-5进行摆放，每个标志桶横向距离为6米，纵向距离为9米。

练习方法：从起点开始进行侧身移动练习；可以采用并步或交叉步，从一个标记跑到下一个标记，同时弯腰，用手触摸每一个标记。

训练要点：重点在于快速的侧身移动，而不是转身面对着记分牌向前冲刺。

（五）跟随领导者

练习目的：发展灵敏素质、协调能力和速度素质。

场地设置：可以选择在足球场内进行，在场内划出一大片区域（长20米、宽20米）。

图7-5 侧身移动

练习方法：与队友搭档，让他们在区域内随机跑动，尽量与他们保持2米左右的距离；队友要不断地改变跑动方向、速度和节奏。

训练要点：尽量保持高速运动，在区域内做出各种高难度动作。

注意事项：控制身体的姿势，保持动作的协调，与前面的队员保持一定距离。

（六）Box Drill

练习目的：发展灵敏素质、速度素质和协调能力。

场地设置：用4个标志桶或记号笔标出一个大约5米×5米的正方形，将一个标志桶放在正方形的中心，作为起始位置；给正方形的每个角标记一个数字，并记住它；随便找一个队友（或教练）的电话号码。

练习方法：训练者站在正方形的中心，队友（或教练）开始报出电话号码；训练者听见相应的数字后，迅速跑到对应的角落去摸对应数字的标志桶，然后迅速回到正方形的中心，等待下一次练习。

训练要点：报出数字的速度不宜过快或过慢，训练者要控制练习的节奏。

注意事项：控制身体的姿势，保持动作的协调，以防摔倒。（图7-6）

图 7-6　Box Drill

（七）障碍回旋

练习目的：发展速度素质、灵敏素质和协调能力。

场地设置：可以选择在足球场内进行；将10个标志桶排成一行，每个标志桶间隔3米。

练习方法：训练者可以将任意一端的标志桶作为起点，进行S形绕桶跑；跑到终点后，走回起点。进行下一次练习。

训练要点：保持身体平衡和重心的稳定性。

注意事项：控制身体的姿势，保持动作的协调，以防摔倒；这种练习通常结合球来做，但是运球速度要慢得多（这里的目标是发展脚步灵活性和移动速度，所以没有使用球）；可根据个人或团队的需要进行调整。

二、结合球的灵敏协调能力训练

（一）踩球练习

练习目的：发展速度素质、协调能力和灵敏素质，提高控球能力。

场地设置：在较大场地上交叉放置4个绳梯，中心位置留出3平方米的空当，在每个绳梯起始处1米的位置各放置1个标志桶，在绳梯中每隔1格放1个足球。

练习方法：双脚并拢站在绳梯后方，左脚不动，右脚踩球；交换脚，左脚踩球，右脚落回原地；双脚向前分腿跳，分别落在格的外侧；向前并腿跳，双脚并拢落在格中。反复进行。

训练要点：控制动作节奏，始终保持重心在中间；用前脚掌踩球，踩球时要控制脚的力度，使球始终位于原位。

注意事项：抬头，挺胸，下颌微收，目视前方。

变换练习：可将开合跳换成单脚跳或其他形式；可增加练习站点；可计时，限定完成时间以增加难度。

（二）单脚跳+跨步跳+绕杆+射门组合练习

练习目的：发展速度素质、协调能力和灵敏素质。

场地设置：在较大场地上如图7-7所示布置场地，各小栏架和标志环均间隔半米，标志杆间隔3米。

练习方法：站在A点原地高抬腿，听到哨声后，以单腿连续跳过栏架；交换腿跨步跳，每一步都要跨入圆心；沿箭头方向绕杆跑；加速跑踢球射门。

训练要点：单腿跳栏架时要使身体的重心始终在支撑腿上，起跳时用力向上摆动双臂，带动身体向上；跨步跳时要注意身体重心的移动，重心要放在支撑腿上；绕杆时要注意脚下的步伐，不要有过多的碎步，不要减速；绕杆后要加速射门。

注意事项：保持正确的姿势，不要

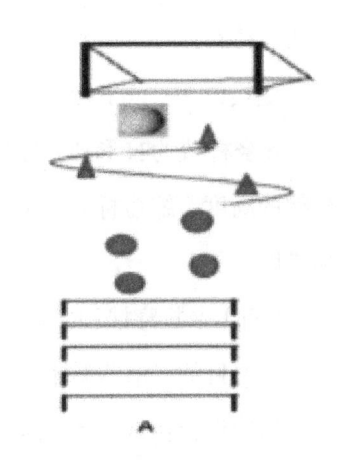

图7-7　单脚跳+跨步跳+绕杆+射门组合练习

弯腰、弓背。

变换练习：可增加每个站点器材的数量，增加每个站点的难度（采用高栏架、小圆环，增加两杆间的距离），增加其他的站点练习，改变每个站点的练习方向（侧向跳栏架、侧向跳圆环）。

（三）带球跨栏跑＋绕桩跑＋加速跑射门

练习目的：发展速度素质和灵敏素质。

场地设置：在较大场地上，如图7-8所示布置场地。

练习方法：训练者带球跑至栏架前，将球从栏架下踢过并跳过栏架；至A点，带球按箭头方向绕过标志杆，加速跑，射门。

训练要点：带球跨栏时要保持球的方向，向前方踢球，控制好脚的力度；绕杆时脚下步伐要迅速、流畅，不要有多余的碎步。

注意事项：保持正确的姿势，不要弯腰、弓背。

变换练习：可改为侧向带球跨栏，将S形绕杆改为N形或Z形绕杆，增加栏架的高度，缩短标志杆间的距离以增加难度。

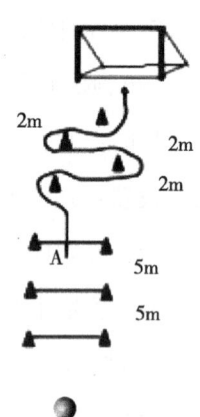

图7-8 带球跨栏跑＋绕桩跑＋加速跑射门

（四）曲折穿梭和接球

练习目的：培养基本的步法和协调能力。

场地设置：将7个小标志桶摆成一排，每个相距1.5米；在距第一个小标志桶5—7米处放置一个大标志桶，一小群球员在这个标志桶后面排队；教练站在距离最后一个标志桶大约10米的地方。（图7-9a）

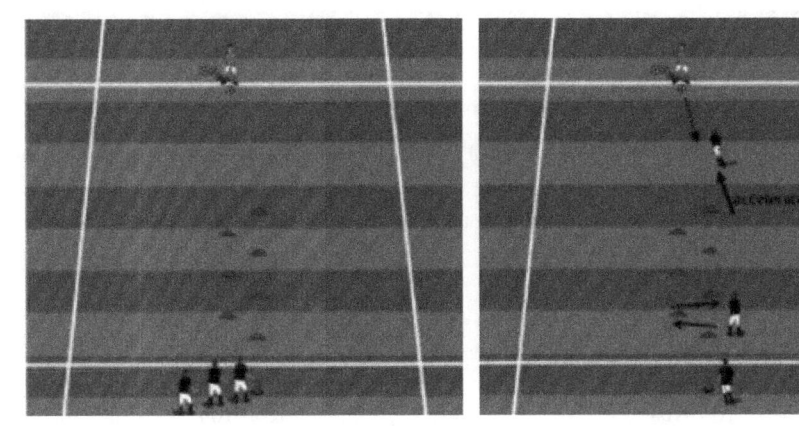

图 7-9a　　　　　　　　　　　　图 7-9b

练习方法：准备好后，排在队伍前面的球员将慢跑到第一个小标志桶的右侧，进行切入；然后侧滑步（沿对角线向左）到第二个标志桶处，继续切入下一个标志桶，再侧滑步（沿对角线向右）到下一个标志桶；持续这种练习模式，直到到达最后一个小标志桶；然后加速冲向教练，接住教练的传球后反传给教练。（图7-9b）

训练要点：保持正确的姿势和较低的重心，双脚不能交叉在一起；强调良好的切入技术，侧向移动时，可以展开双臂保持平衡。

注意事项：保持正确的姿势，不要弯腰、弓背。

变化练习：可以改变传球的类型（如采用地滚球、高空球等方式），训练球员的接球技术。

（五）倒跑、带球冲刺

练习目的：培养后退跑和冲刺的能力，发展灵敏素质和协调能力。

场地设置：在足球场地内划定一个20米×20米的正方形区域；在正方形的底角位置放两个小球门；画一条中间线，放置4—5个小标志桶。一名球员站在中间线的中心，面对站在区域边线的另一名球员。（图7-10a）

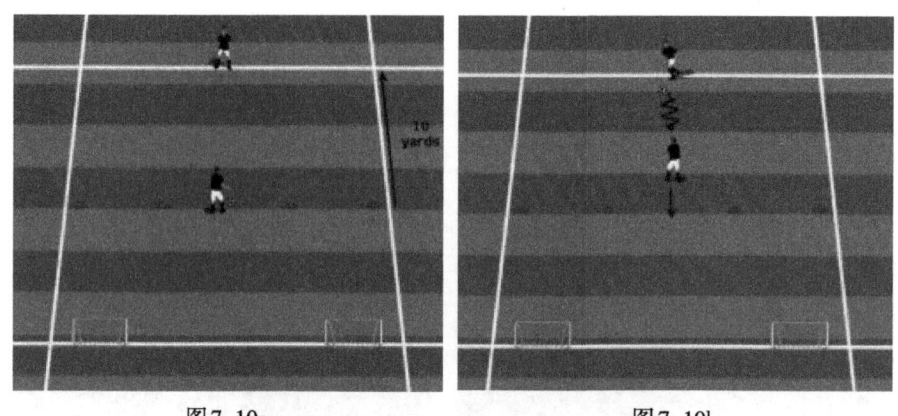

图7-10a　　　　　　　　　　　　图7-10b

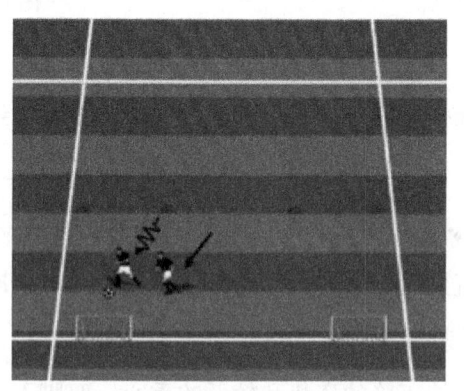

图7-10c

练习方法：场地中间的球员先带球，然后传球到对方脚下；对方一旦接球并控制球，就要想方设法突破对面的防守；防守球员必须开始倒跑（图7-10b），当运球球员超越防守球员时，防守球员转身追运球球员（图7-10c），注意，运球球员是不允许赢球的。这种情况一直持续到后撤的一方越过半场线，这时带球的一方要想方设法破防，进行射门得分。两人轮换，反复练习。

训练要点：在倒跑时必须保持低重心，同时采用快速的步伐，重心靠前；在从后退到冲刺的转换过程中保持动作的连贯性和身体的协调性。球员在开始的时候可以慢慢进行练习，一旦掌握了步骤，就尽可能快地完成。这项练习还可以进一步进行，带球的球员在运球时假装带球，在进攻时进任何一个球，使得活动在本质上更具反应性。

注意事项：保持身体重心的稳定性，多运用各种技术和技巧。

（六）向前、向后的步法练习与第三人传球

练习目的：培养基本移动步法，提高协调能力和快速移动能力。

场地设置：可以选择在足球场内进行；在球场内划定一个20米×20米的正方形区域，将7个小标志桶呈梯形摆放，每个相距2米；在距第一个小标志桶5—7米处放置一个大标志桶，一小群球员在这个标志桶后面排队；两个教练员站在对面。（图7-11a）

图7-11a　　　　　　　　图7-11b

练习方法：准备好后，排在队伍前面的球员向他们前面的标志桶冲刺，按照箭头所示的方向进行冲刺和倒跑，并保持这种向后、向前的模式；当绕过最后一个标志桶时，向教练冲刺；第一个教练将传球给球员，球员必须将球传给第二个教练。（图7-11b）

训练要点：保持正确的姿势（臀部略微前倾）和较低的重心；确保动作快速转换，保持身体姿势的可控状态；脚下动作要灵活，速度尽可能地快。

注意事项：保持身体重心的稳定性，多运用各种技术和技巧。

变换练习：可以改变第二个教练的位置（在传球的教练的左边或右边），也可以采用不同的传球方法；球员慢慢开始练习，一旦掌握了步法，就要加快练习速度。

（七）头顶球技术练习

练习目的：提高起跳速度、协调能力和动态平衡能力，发展头部技术。

场地设置：可以选择在足球场内进行，两人一组；将4个标志桶摆成菱形，每条边的长度必须是1.5米；一名球员站在菱形的中心，面对另一名球员，另一名球员站在离标志桶2米的地方。（图7-12a）

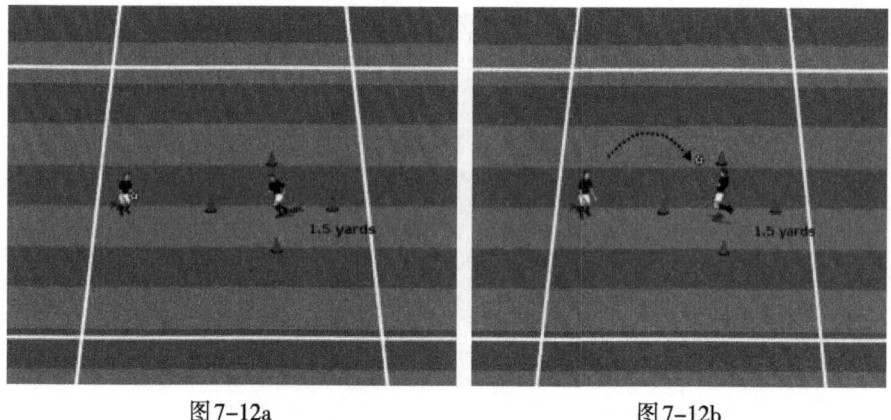

图7-12a　　　　　　　　　图7-12b

练习方法：准备好后，处在菱形中心的球员必须跳到顶部的标志桶的位置，再回到中心，跳到右侧的标志桶，然后再回到中心；继续这种模式，直到跳到所有的标志桶并返回；一旦完成最后一跳，配合者就抛出一个球，然后菱形内的球员用头将球顶回去。（图7-12b）

训练要点：动作尽可能地快，不要停顿；在跳跃时保持正确的姿势，可以展开双臂保持平衡；用头顶球时，眼睛要睁着，嘴巴要闭着，颈部肌肉要绷紧，前额要触球；同时弓起背部，带动上体向前发力。

注意事项：保持身体重心的稳定性，多运用各种技术和技巧。

变化练习：球员可以头朝向站在抛球者左边或右边的第三人来改变这个练习；可以在头球前完成两次循环，或切换到单腿跳跃。

（八）绳梯灵活跑、转弯和运球

练习目的：培养步法，提高协调能力和灵敏素质。

场地设置：可以选择在足球场地内进行；在两个小标志桶之间放置一个绳梯，绳梯的起点和终点都距标志桶7米；在绳梯终点的标志桶左侧10米处放置第三个标志桶；球员站在靠近绳梯起点的标志桶后面，教练站在距离绳梯终点的标志桶约5米处。（图7-13a）

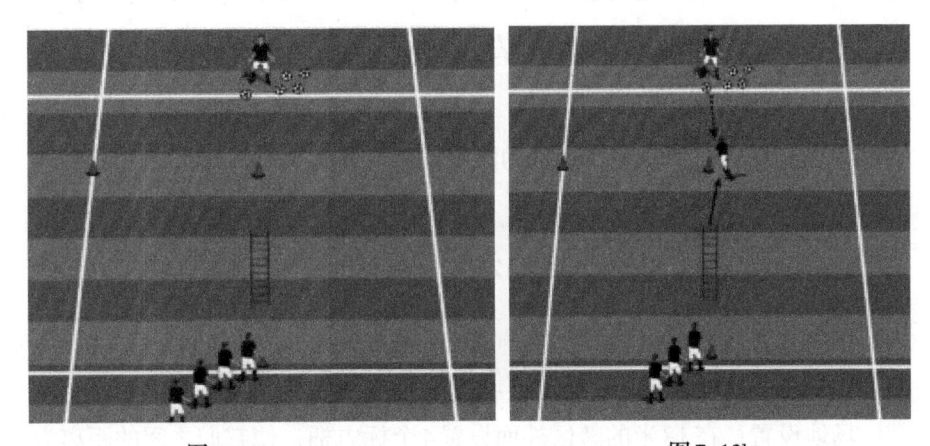

图7-13a   图7-13b

图7-13c

练习方法：准备好后，每个球员以一步一个格子的方式冲刺；完成绳梯练习时，必须加速向教练冲刺，教练传球给球员（图7-13b）；接球的同时，球员必须90度转向他们左边的标志桶，然后将球传给教练（图7-13c）。

训练要点：球员在保持正确的跑姿的同时尽快完成动作，必须向传球方向加速。

注意事项：保持身体重心的稳定性，多运用各种技术和技巧。

（九）曲折冲刺和切入练习

练习目的：培养高速运动下的侧向移动能力和射门技术。

场地设置：在18米的禁区外面设置4个标志桶，使它们之间的距离为5米，最靠近球的标志桶应位于d区边缘和中心；球员在离球门最远的标志桶后面排队；一个教练站在角落里，准备传球。（图7-14a）

图7-14a   图7-14b

练习方法：练习开始时，球员向离他们最近的标志桶冲刺（也可以侧向移动），不断地绕过标志桶，然后向下一个标志桶冲刺；完成最后一个标志桶后，必须向教练的方向冲刺，教练将传球给他们，球员紧接着完成射门动作，在射门前只允许触球一次。（图7-14b）

训练要点：以最快的速度完成；射门时，支撑脚应放在球的旁边，并指向目标的方向。

变化练习：可以通过改变传球类型（如采用地滚球、反弹球、高空球等方式）来进行这个练习。

（十）左右移动追逐

练习目的：培养侧滑步、向前滑步的移动能力及反应速度。

场地设置：将球员分成三组，每组一个球；两名球员面对面站在相距5—7米的地方，另一名球员站在距二人的连线10米的地方。

练习方法：两名球员面对面传球，必须进行两次触球；第三名球员必须在球移动的路线上进行侧向移动（图7-15a）；几次传球后，两名球员中的一名将球传给第三名球员，一旦发生这种情况，第三名球员就转身冲向传球球员（图7-15b）。依次重复后换运球者。

训练要点：保持较低的重心，并采取小而快速的步伐并步移动。

注意事项：保持身体重心的稳定性，多运用各种技术和技巧。

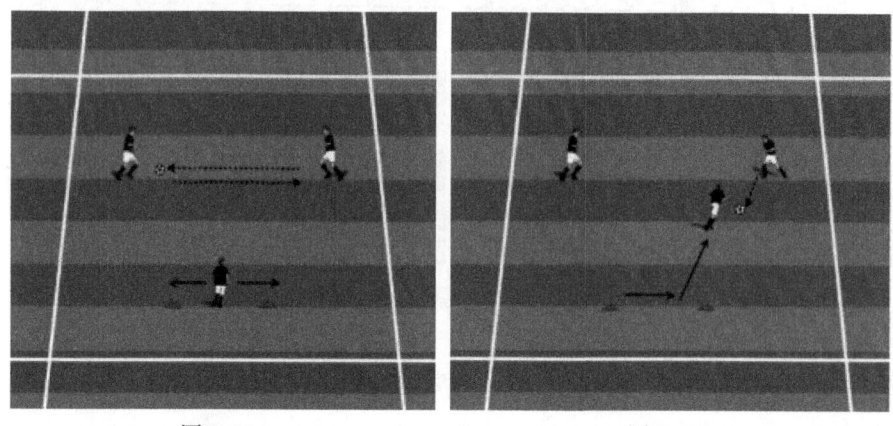

图 7-15a　　　　　　　　　　图 7-15b

第八章

青少年足球运动员平衡能力训练

在足球比赛中，无论是射门、盘带还是弹跳，都与平衡能力有着重要的关系，良好的平衡能力有助于运动员在变向过人、盘带、射门中很好地控制身体重心。从专项运动技能出色表现和减小运动损伤发病率的角度来看，应当采用相应的训练手段和预防措施。在此背景下，感知运动训练（Sensorimotor Training），也称"本体感觉训练"（Proprioceptive Training）、"功能性关节稳定性训练"（Functional Joint-stability Training）和"平衡能力训练"（Balance Training），就成为有效的训练方法。这些训练能够提高功能性动作中的关节稳定性、静态和动态平衡，以及动作意识或肌肉运动知觉（Kinesthesia）。损伤预防措施有利于运动员承受赛前准备阶段的大运动量训练负荷。另外，运动知觉能力的提高有利于培养自我意识，提高动作精确性，以最少的消耗获得最佳的运动效果。感知运动训练起初是为了对运动系统、中枢神经系统疾病和损伤进行康复训练。从一开始，其主要目的就是根据自动（反射）纠正反应来恢复神经、肌肉功能，提高功能性关节稳定性和平衡能力。

第一节　平衡能力影响因素

保持人体平衡的机制十分复杂，一般认为保持人体平衡共有三个环节：感觉输入、中枢整合、运动控制。首先通过视觉、本体感觉等感觉输入和前庭系统的信息输入传入中枢系统，再由中枢系统通过脊髓、前庭核、内侧纵束、脑干、网状结构、小脑、大脑皮层共同支配进行整合，整合好以后传达给运动系统，最后由运动系统进行控制，来保持平衡。

一、感觉输入

通过视觉输入有关周围环境，以及身体运动和方向的信息是人体感觉输入的第一步，早在1851年，Romberg就对视觉影响平衡能力做出过研究。本体感觉是肌肉、肌腱、韧带和关节的本体感受器，能感觉到身体的相对位置和运动，它对压力和肌肉、关节形状的改变非常敏感，并且能提供身体各部位的空间定位及肌肉紧张状态的信息，为运动支配提供准确定位，使人体准确地保持平衡。潘化平等人的研究表明，负荷控制的本体感觉训练可以提高脑卒中患者的平衡功能及下肢运动能力。刘波等人通过以海绵垫干扰本体感觉观察正常人姿势平衡中的感觉整合作用，结果表明以海绵垫干扰足底本体感觉会造成动摇面积及轨迹长度的增加，姿势控制能力降低，这也充分说明本体感觉是影响平衡能力的因素。

前庭是人体平衡系统的主要末梢感受器官，处在人的内耳中，是内耳器官之一。前庭系统提供加速运动、瞬时直线加速运动及与直线重力加速有关的头部位置改变的信息，经第四对颅神经进入脑干。人体通过这种感受装置感知身体位置的各种变化，并借助各种反射来减轻肌肉紧张，保持身体平衡。不同形式的传统功法训练能够通过改善前庭器官的功能来提升人体的平衡能力。

二、运动控制

运动控制由骨骼、肌肉及韧带共同完成。Janda等人将人体的肌肉分为姿势性肌肉和相位性肌肉。姿势性肌肉主要用于保持身体的直立姿势；相位性肌肉则包括除姿势性肌肉外所有的肌肉，出现病变后主要表现为肌肉无力及受抑制。目前医学及运动学提及的大多是相位性肌肉。在医学中，提高平衡能力训练最主要的是锻炼人体的相位性肌肉，也就是对侧肌肉，防止肌肉平衡失调。

三、其他因素

BMI与平衡能力也有一定的关系。平衡能力在生理上受感觉输入、中枢整合、运动控制这三个环节支配；同时，一些疾病也影响着人体平衡。我们可以通过进行体育锻炼来增强足球运动员的身体平衡能力，除了中枢神经系统和意志力密切控制的反射外，其他因素也会影响关节的稳定性和平衡能力。这些因素主要影响关节运动范围的解剖学结构、外界负荷、软组织结构（韧带和关节囊）。在关节及其周围软组织结构受损时，康复训练应当予以考虑。所有这些因素决定了与运动环境相对应的具体情况下的关节的坚固性和稳定性。在面临巨大的运动损伤风险（尤其是在体育运动中）的情况下，应当采取所有的措施来增强关节的稳定性。平衡能力与关节稳定性训练（Balance and Joint-stability Training）已被公认为对康复和竞技体育运动中的运动感觉功能有着积极的作用。其积极的作用主要在于损伤后重建运动系统功能，提高运动技术，减少损伤。这方面的训练工作由体能教练和医生负责。尽管如此，还是提倡有创造性地安排训练，使训练有趣味性和良好的效果，即使运动员不熟悉这类训练手段或训练方式。

第二节　足球项目身体平衡能力训练计划设计

在制订平衡能力或功能性关节稳定性的训练计划时，应当根据运动员的目标来提供具体的指导。这些指导包括损伤预防、竞技能力提高、康复等。在为某运动项目选择一种训练方案时，应当考虑不同身体部位的暴露情况和损伤风险。

平衡能力和功能性关节稳定性训练通常是严格的运动训练或康复方案当中必不可少的组成部分。但是，这些训练提高弹跳力、力量或耐力的作用是有限的。大多数针对平衡能力和稳定性训练的有效研究都通过对未接受训练的对象进行实验来论证。在这些研究当中，从短期（3—6周）训练计划中看不到任何优势。在对竞技类运动员进行训练时，应将传统的抗阻训练或超等长训练方式作为训练力量和爆发力的主要考虑手段。在竞技运动中，平衡能力和关节稳定性训练在预防运动损伤方面更有意义，尤其是在赛季后半段。在赛季后半段，运动员承受的压力和损伤都会增大。这些训练方式还能够在赛季的前半段得到应用，它们对任何训练期间的损伤预防都具有积极的影响。有关平衡能力和功能性关节稳定性训练的文献资料主要关注的是它们对感知运动系统产生的急性效应和慢性效应。对平衡能力和功能性关节稳定性训练的适应最初会很快出现。与其他训练模式相似，取得成效的速度会随着训练的进程而降低。由此，平衡能力和功能性关节稳定性训练应贯串整个赛季，使神经、肌肉功能达到很高的水平。以下为推荐的提高运动员运动神经系统功能的措施：

平衡能力训练计划应当至少持续4周。运动员在整个赛季都要持续进行训练，以保持取得的成效。为了保持已取得的神经、肌肉功能，应当每周至少进行3次练习。

每种练习至少进行一组，这样会产生快速的适应。这些练习需要通过额外的训练课收到成效。虽然建议运动员进行一组以上的练习，但相关资料中未提到练习组数的上限。要获得长期适应效应，每组至少需要重复进行4次练习，每个练习应当至少持续20秒钟。

这些围绕取得明显适应的基本方针、原则是从研究文献中总结出来的，它们在实践当中的应用还远远不够。具体训练手段和训练量是根据运动员的疲劳程度、身体准备程度、练习的复杂程度或强度、以往的经验、受伤状况等因素确定的。运动员、体能教练、理疗师共同确定适当的训练量，确定积极的适应，避免产生过度压力及消极影响，尤其在康复过程中。

平衡能力和功能性关节稳定性训练的主要目的是避免潜在的危险动作发生，这些危险动作取决于运动员或病人的准备情况及受损组织的恢复情况。对于稳定性差或受伤可能性比较大的关节，练习的幅度和范围应当逐渐增加。对大多数关节而言，最大活动范围的练习通常很容易导致受伤，因为肌肉力量和神经、肌肉控制能力都减弱了。例如，在双臂向外伸展的同时肩部向外旋转，或踝关节过度外翻等动作当中，肩关节和踝关节都处于相对不稳定状态，很容易受伤。在康复训练的早期，应避免这些关节活动范围的练习。还有，在膝关节疼痛的综合症状中，应避免在30度—60度角度范围内进行屈膝练习，防止膝关节髌骨接合面过度受力，此时髌骨软组织承受的压力最大，在极限位置应当慢慢承受冲击力。身体健康但未接受训练的运动员也应当遵循同样的原则，以避免受伤。

运动的速度应当逐渐加快，以便很好地控制关节的稳定性。如果对一个动作还不熟悉，过早、过大用力会导致对动作失去控制。例如，当以近乎静止和直立的姿势坐在健身球上进行躯干稳定性练习时，如果体能教练施加的额外动作太快，则有可能发生危险，会导致腹肌无效的反射性稳定和非安全的运动幅度。

在预防运动损伤的训练计划中，动作的速度应当逐渐地向专项运动速度推进，从而在该项目特有的快速运动过程中保持关节稳定。例如，投掷项目运动员的肩关节稳定性练习应当逐渐地向更具爆发性的姿势转化，使神经、肌肉组织产生适应，从而在以直立姿势投掷的过程中和完成投掷时使关节相应地保持稳定。除了逐步提高动作的速度外，运动员还应当针对离心收缩肌力和爆发力进行训练，让关节的软组织和肌肉韧带部位承受更大的压力。

可以在训练中采用更大的力，但必须等到运动员掌握了实现平衡或功能性关节稳定性的要领才行。如果施加的负荷不太大，采用适宜的运动方法就会更有效。这一点尤其适用于康复训练计划。

平衡能力和功能性关节稳定性训练应始终具有挑战性。运动员及其神经、肌肉组织的积极参与使训练成为可能。如果一项练习不需要矫正性动作，训练就没有效果，因为神经、肌肉组织不需要对干扰动作做出反应和适应，也难以重新建立关节稳定性和身体平衡能力。建议训练动作由易到难，循序渐进，比如从单轴平衡板开始练习，再逐渐转向多轴平衡板。使用训练器械的支撑面也应当从较大的开始，再向较小的发展，同时，在日常练习中应穿插较长时间的运动间隔，外加刺激和高频率振动刺激负荷。当运动员掌握一个动作后，体能教练应当加大动作的难度或引入一个未练习过的新动作。神经、肌肉组织的适应是通过增加动作练习的要求来实现的，这是一条基本的训练原则。

第三节　足球项目运动员身体平衡能力训练方法

平衡能力是人体一项重要的生理机能，拥有平衡能力是人完成站立、行走、跑动及各种精细动作的前提，维持平衡能力是一个非常复杂的过程。身体的平衡能力的表现取决于神经系统对来自前庭器官、本体感受器、视觉器官等的信息的协调和控制能力。平衡能力好的运动员往往运动损伤风险相对低。平衡能力训练有利于提高运动员的协调能力、技术动作的精准性、运动技术的运用水平、在球场上的运动表现。所以本节主要针对足球运动员的静态平衡能力和动态平衡能力进行训练。

一、静态平衡能力训练

（一）瑜伽球坐姿平衡能力训练

练习方法：坐在瑜伽球上，核心收紧，腰背挺直；双脚离开地面，脚尖朝上，双腿自然伸直；双眼平视前方；双臂侧平举或前平举，以保持平衡。保持此动作30秒以上。

动作要领：保持身体平衡过程中，注意力要集中。

注意事项：动作过程中不可以扶墙，必须独立完成整个动作。

易犯错误：做出弯腰、弓背、脚着地等错误的代偿动作。（图8-1）

图 8-1　瑜伽球坐姿平衡能力训练

（二）瑜伽球跪姿平衡能力训练

练习方法：双腿并拢跪在瑜伽球上，核心收紧，腰背挺直；双臂侧平举或前平举，以保持平衡。保持此动作30秒以上。

动作要领：保持身体平衡过程中，注意力要集中。

注意事项：动作过程中不可以扶墙，必须独立完成整个动作。

易犯错误：做出弯腰、弓背等错误的代偿动作。（图8-2）

图 8-2　瑜伽球跪姿平衡能力训练

（三）单腿站立

练习方法：直立在博速球上，核心收紧，腰背挺直，下颌微收；以右腿为例，缓慢地抬腿，屈髋，屈膝，直至大腿与地面平行，脚尖勾起；双手叉腰或侧平举等。此时也可以闭眼，以增加动作难度。保持此动作10—20秒后换腿。

动作要领：身体放松，动作自然、舒展，保持呼吸顺畅。

注意事项：整个动作过程中要保持正确的姿势。

易犯错误：做出弯腰、弓背等错误的代偿动作。（图8-3）

图8-3　单腿站立

（四）单腿半蹲姿势练习

练习方法：直立在博速球上，核心收紧，腰背挺直，下颌微收；以右腿为支撑腿，左腿向前抬起并伸直，脚尖朝上；缓慢地下蹲，屈髋，屈膝，直至右腿大腿与地面平行。保持此动作20秒后换腿。

动作要领：整个动作过程中身体重心在支撑腿上；双臂可以前平举，保持身体平衡。

注意事项：保持上体挺直，核心收紧，姿势稳定。

易犯错误：做出弯腰、弓背、膝关节过屈等错误的代偿动作。（图8-4）

图8-4　单腿半蹲姿势练习

（五）单脚脚尖站立

练习方法：直立在博速球上，核心收紧，腰背挺直，下颌微收；双眼平视前方；以左腿为支撑腿，右腿小腿缓慢地向后抬起，脚尖勾起；此时左脚脚尖踮起。可以闭眼，以增加动作难度并尽可能地保持最长时间。换腿进行。

动作要领：支撑腿应自然伸直；双臂可以侧平举，保持身体平衡。

注意事项：保持正确的姿势；从侧面看，耳、肩、髋、膝成一条直线。

易犯错误：做出弯腰、弓背等错误的代偿动作。（图8-5）

图8-5 单脚脚尖站立

（六）盘腿站立博速球

练习方法：直立在博速球上，腰背挺直，下颌微收；双眼平视前方；以左腿为支撑腿，右腿缓慢地抬起，脚尖朝前，直至大腿与地面平行，双手抱住小腿，髋关节外旋，直至小腿与地面平行。换腿进行。

动作要领：支撑腿自然伸直；一手握住抬起的腿的踝关节，一手托住抬起的腿的膝关节。

注意事项：身体不要过度前倾，腰背挺直，保持正确的姿势。

易犯错误：做出支撑腿屈曲、弯腰、弓背等错误的代偿动作。（图8-6）

图 8-6　盘腿站立博速球

（七）博速球燕式平衡

练习方法：直立在博速球上，腰背挺直，下颌微收；双眼平视前方；以右腿为支撑腿，左腿向后抬起，伸直，脚尖朝下，屈髋，左、右腿成90度夹角；双臂侧平举。保持此动作30秒后换腿。

动作要领：抬头，挺胸，腰背挺直；支撑腿和抬起的腿都要自然伸直。

注意事项：保持踝关节、背部肌肉紧张。

易犯错误：支撑腿屈曲，大、小腿夹角过小。（图8-7）

图 8-7　博速球燕式平衡

（八）博速球U形平衡

练习方法：坐在博速球上；双手在身体后方撑住地面；双腿并拢、伸直，脚尖勾起；核心收紧，使整个身体成U形，双手离开地面，紧贴身体两侧。保持此动作30秒。

动作要领：保持颈椎处于中立位，下颌微收。

注意事项：保持呼吸顺畅，不要憋气。

易犯错误：做出憋气、颈部前伸等错误的代偿动作。（图8-8）

图8-8 博速球U形平衡

二、动态平衡能力训练

（一）闭目原地高抬腿

练习方法：站立在瑜伽垫上，腰背挺直，下颌微收，双眼平视前方，做原地高抬腿动作；然后闭上双眼，继续做原地高抬腿动作。20次为一组。

动作要领：摆臂动作要协调，尽量保持在原地。

注意事项：尽量独立完成此动作，腰背挺直，保持身体重心的稳定性。

易犯错误：弯腰、弓背、摆臂动作不协调。（图8-9）

图8-9　闭目原地高抬腿

（二）闭目直线行走

练习方法：直立在原地，抬头，挺胸，双眼平视前方；然后闭眼在绳梯上行走。

动作要领：保持正确的姿势；抬头，挺胸，摆臂动作要协调。

注意事项：保持身体平衡，双臂可以打开并侧平举。

易犯错误：做出弯腰、弓背等错误的代偿动作。（图8-10）

图8-10　闭目直线行走

（三）头顶球直线走

练习方法：直立在原地，抬头，挺胸，双眼平视前方；头顶足球，保持球在头顶的同时在绳梯上直线行走。

动作要领：双臂打开，保持身体平衡，动作协调。

注意事项：保持正确的姿势。

易犯错误：弯腰、弓背、颈部过度前伸。（图8-11）

图8-11　头顶球直线走

（四）倒跑练习

练习方法：在足球场进行练习；身体背向起点，双眼平视前方，膝关节微屈，身体重心降低，自然摆臂，以最快的速度进行后退跑。

动作要领：膝关节微屈，身体重心降低。

注意事项：不要回头看，保持目光平视或左右扫视。

易犯错误：身体重心太高或做出回头等错误动作。（图8-12）

图 8-12　倒跑练习

（五）单腿站立手摸标志桶

练习方法：将3个标志桶按等边三角形放置，每两个标志桶相距1—1.5米；训练者单腿站在三角形的中心位置，用手分别触摸3个标志桶。

动作要领：用手摸标志桶时尽量保持支撑腿自然伸直，每只手摸三次标志桶后换手。

注意事项：脚的位置尽量不要移动。

易犯错误：支撑腿屈曲、下蹲、脚的位置移动。（图8-13）

图 8-13　单腿站立手摸标志桶

（六）单腿站立脚触标志桶

练习方法：将5个标志桶按五边形放置，每两个标志桶相距2米；训练者单腿站在五边形的中心位置，以右腿为支撑腿，左腿自然伸直并离地，用脚尖分别触碰5个标志桶。

动作要领：用脚触碰标志桶时，支撑腿可以屈曲；可以双臂侧平举或双手叉腰，以保持身体平衡。

注意事项：手不可以触地；脚触碰到标志桶后，返回原来位置再去触碰下一个标志桶。

易犯错误：手接触地面或用脚按压标志桶来保持身体平衡。（图8-14）

图8-14　单腿站立脚触标志桶

（七）博速球单腿下蹲

练习方法：直立在博速球上，腰背挺直，下颌微收；双眼平视前方；以右腿为支撑腿，左腿缓慢地抬起并自然伸直，脚尖勾起；双臂侧平举，以保持身体平衡；右腿屈髋、屈膝下蹲，当大、小腿成90度夹角时缓慢地起身。换腿进行。

动作要领：保持身体重心在正确的位置，腰背收紧。

注意事项：身体不要过度前倾。

易犯错误：弯腰、弓背、身体过度前倾或后仰。（图8-15）

图 8-15　博速球单腿下蹲

（八）博速球单腿站立钟摆

练习方法：直立在博速球上，腰背挺直，下颌微收；双眼平视前方；以右腿为支撑腿，左腿缓慢地抬起，脚尖勾起，做前踢或后摆，摆动腿和支撑腿都自然伸直。也可以在踝关节处套上迷你带进行前踢和后摆，以增加难度。

动作要领：摆动的幅度不能太小，摆动过程中要保持正确的姿势，核心收紧。

注意事项：身体不要过度前倾或后仰，双腿要自然伸直。

易犯错误：身体随着腿的前踢或后摆而摇晃不定。（图 8-16）

图 8-16　博速球单腿站立钟摆

第九章

足球比赛中不同位置的运动员专项体能训练方法

足球运动具有非常强的专项特征，足球技术包含运球、传球、控球、射门等有球技术，以及转身、折返等无球技术。在实际的比赛中，需要将这些技术综合在一起进行运用。在高强度对抗中进行足球比赛，比赛过程中要尽量防止出现技术动作变形情况，实现战术和意图的有效统一。足球运动员不仅要有足够的体能，同时还需要与专项特点有效结合在一起。在提高技术质量的过程中实现体能训练的发展，才能够获取真正的足球体能，融合更多的专项技术，最终提高足球技术的效率及实战性。本章根据足球运动员场上不同的位置和技术特点为足球场上各个位置的足球运动员提供了专项体能训练方法，以供参考。

第一节　足球前锋运动员专项体能训练

一、摆脱防守与转身技术的练习

练习目的：前锋队员的活动范围非常有限，而且前锋在短距离快速移动过程中都必须具备快速变向能力。该练习帮助前锋队员在背对球门和紧逼对方的情况下提高快速移动和变向能力，以便迅速摆脱防守。

场地设置：可以选择在足球场内进行，需要1根弹力带和3个标志桶，标志桶间隔为4米。

```
          转身
      ┌────────┐
      │   C    │
      │   ▲    │
      │   │    │
      │   │    │
      │ B │ P1 │   8米
      │   ▲    │
      │   │    │
      │   │    │
      │ A   P2 │
      │   ▲    │
      └────────┘
```

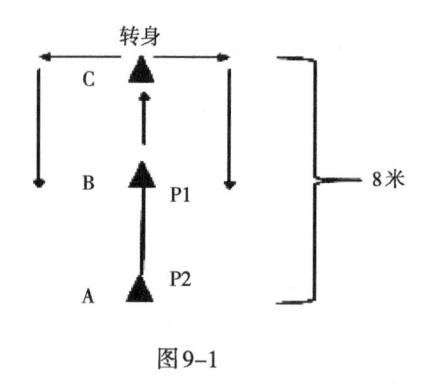

图 9-1

练习方法：球员 P1 位于标志桶 B 处，将弹力带系在腰部，弹力带的松紧度为球员能够自由转动身体；球员 P2 位于标志桶 A 处，用手握住弹力带；球员 P1 迅速朝标志桶 C 冲刺，并在 C 处快速转身，最后返回 A 处。

训练要点：快速摆臂配合移动，转身步伐要短促而迅速，转身冲刺后身体前倾，重心降低。

练习量：每三次为一组，一共五组，每组间歇两分钟；最后一次练习，训练者不系弹力带进行对照，在每次之间安排返回慢走的恢复练习，每组间歇三分钟；训练者也可以带球进行练习。（图 9-1）

二、横向快速移动配合进攻技术战术练习

练习目的：增强前锋队员横向快速跑动能力。前锋队员的进攻一般是在对方球门前进行来回的快速横向移动，随后突然插入防守空当接住队友的传球，最后用头或脚射门。这个练习除了能很好地帮助球员快速横向移动插入防守空当，还可以让球员通过左右横向移动来迷惑防守队员。

场地设置：可以选择在足球场内进行；需要 7 个标志桶和 2 根弹力带，在球门前 6 米线上间隔 8 米放置 2 个标志桶，将另 5 个标志桶在前面与之间隔 3 米摆成一条直线，每个标志桶相距 1 米。（图 9-2）

第九章 足球比赛中不同位置的运动员专项体能训练方法 | 227

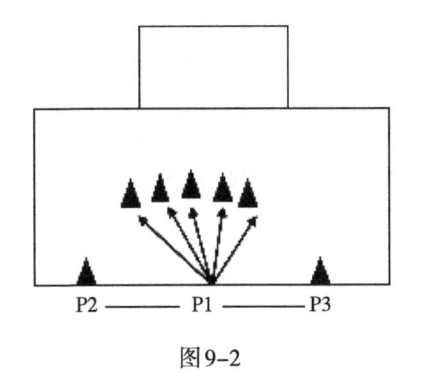

图 9-2

练习方法：3人一组；球员P1系好弹力带，一端由球员P2拉住，一端由球员P3拉住，三人成一条直线，使弹力带保持一定的张力；当发出口令时，球员P1迅速横向移动去摸指定的标志桶，然后迅速横向移动返回起点位置。继续进行下次练习。

训练要点：可以进行并步或交叉步的移动。准备时双脚间距与肩同宽，并且配合快速摆臂，保持动作协调和身体重心的稳定性。

练习量：将所有标志桶摸一遍为一组，一共三组，最后进行一次不系弹力带的练习；三组练习完，恢复两分钟。

三、跳起快速头顶球练习

练习目的：提高前锋队员起跳速度和高度，增强头顶球的快速进攻能力。

场地设置：可以选择在足球场内进行。需要3根弹力带和2个标志桶。在球门前6米线上间隔8米放置2个标志桶。（图9-3）

练习方法：4人一组；球员P1（前锋）系好弹力带位于标志桶A和B中间，P1、P2、P3、P4的位置如图9-3所示，P2、P3、P4成等边三角形站立，每个人相距 3—4 米；教练将球以不同的高度和角度抛向球员 P1，球员 P1 用头顶球射门。每次练习后返回起点等待教练抛球。

训练要点：尽量快速跳跃，协调摆臂；队员 P2、P3 和 P4 应在场地上保持固定位置；使弹力带保持一定的张力，同时增加队员跳起的阻力，落地时注意缓冲。

练习量：每组练习 10 次，一共 3 组，依次换人；为了增加难度，可在球员 P1 面前设防守队员。

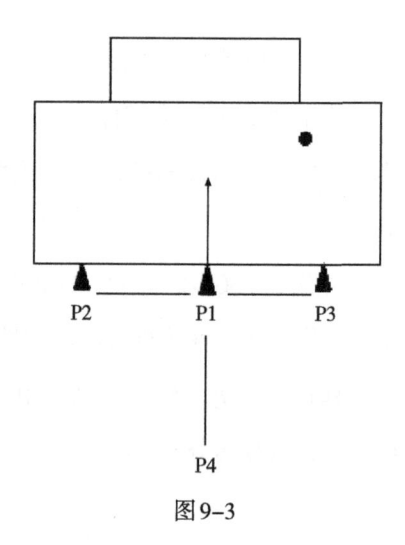

图 9-3

第二节　足球中场运动员专项体能训练

一、帕尔默练习

练习目的：在中场用逐渐防守紧逼的方式提高速度素质、灵敏素质和协调能力。

场地设置：可以选择在足球场内进行，需要两条绳梯和若干个标志桶。

练习方法：如图9-4所示，沿绳梯进行冲刺跑，以最快的速度到达教练指定的标志桶；到达标志桶后，以后撤步回到起点。

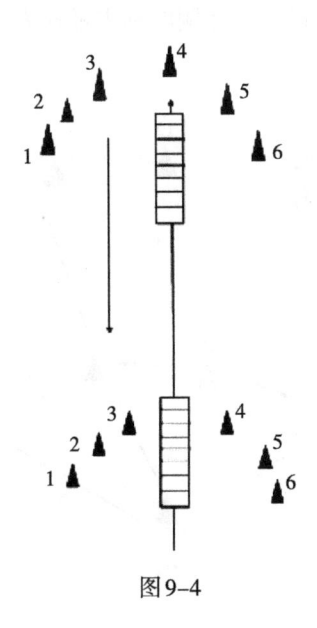

图9-4

训练要点：保持正确的跑姿，通过绳梯时要集中注意力，注意观察情况。

练习量：每组重复8次（发出4次向左、4次向右的指令），每次间歇时间为30秒；还可以涉及第二条绳梯的使用，其目的是提高防守队员半场跑动时的爆发力和速度，同时很好地封堵进攻队员；中场队员加速沿第一个绳梯跑动，冲刺至第二个绳梯时逐渐减速，然后快速移动至教练指定的标志桶，做出假动作，再后撤3—5米，最后转身加速跑返回起点。

二、后撤转身跑练习

练习目的：练习注意力的集中和保持，学会预判球的运动方向，提高转身速度和加速跑动能力。

场地设置：可以选择在足球场内进行，需要12个标志桶和1根带有开关装置的弹力带（如果没有带开关装置的弹力带，也可在球员腰间系条毛巾）；将标志桶以扇状放置，最外侧的标志桶代表时钟数。（图9-5）

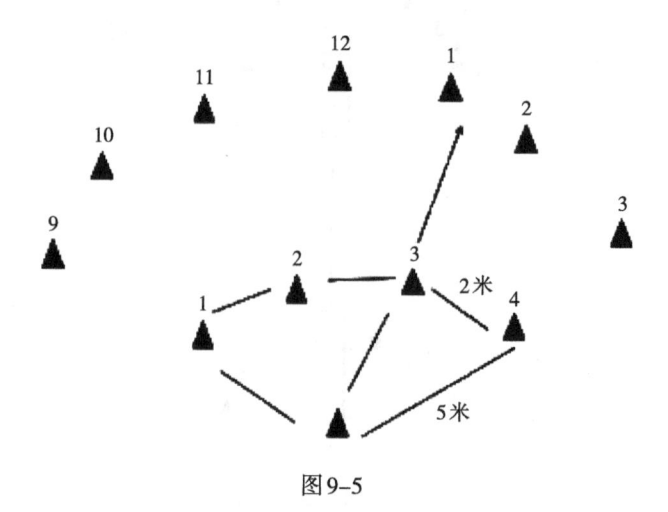

图9-5

练习方法：2人一组；球员P1系好弹力带，P2握住弹力带的两端，使弹力带保持一定的张力；P1与P2面对面，以后撤步的形式向指定的内侧某个标志桶移动；P2随P1移动，但是要使弹力带保持一定的张力；当摸到标志桶时，P2松开弹力带，P1快速转身冲刺跑向指定的外侧某个标志桶。

训练要点：后撤步移动时，保持上体挺直，不弯腰、弓背；手臂协调摆动；转身时，双脚距离与肩同宽。

练习量：每组重复8次，每组间歇5分钟；也可增加难度，P2松开P1时，教练朝外侧标志桶传地滚球，球员接球，一名球员在外侧标志桶间进行运球，当教练发出口令时，P1迅速转身，拦截接球队员。

三、转身进攻练习

练习目的：提高灵敏素质、转身技巧和冲刺速度。

场地设置：可以选择在足球场内进行；器材为壶铃和标志桶，标志桶以Y形排列。（图9-6）

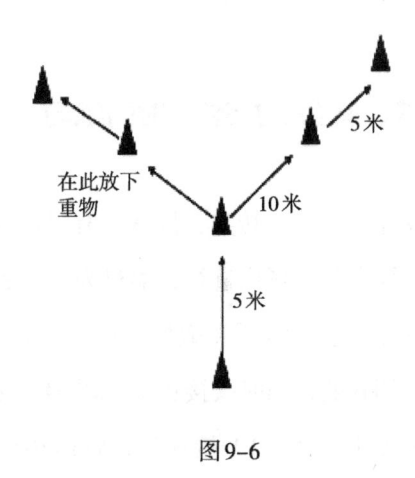

图9-6

练习方法：中场队员手持壶铃倒退跑动5米；在不减慢跑动速度和不改变技术动作的前提下向左侧或右侧转身，并快速跑至第一个标志桶；将壶铃放下，再次朝外侧标志桶冲刺。（图9-7）

训练要点：在后退跑接转身向前跑时保持正确的姿势；在转身和加速时提高摆臂速度，注意摆臂协调，前脚掌着地时迅速转身。

练习量：3×6次，每组间歇3分钟。

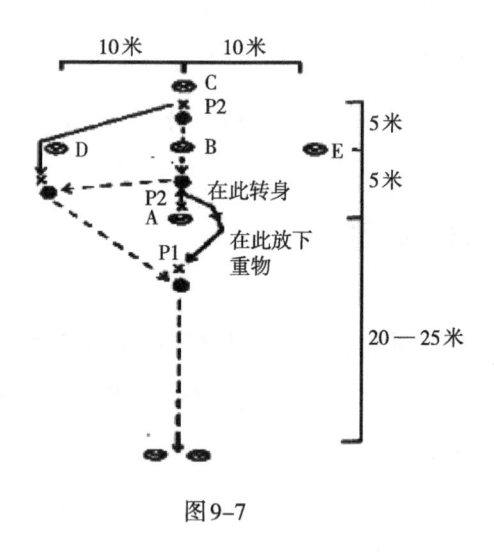

图9-7

四、控球、传球、转身、接球、射门练习

练习目的：提高控球、传球、转身、接球、射门技术和技巧。

场地设置：可以选择在足球场内进行，器材为壶铃和标志桶。

练习方法：2人一组；球员P1手持壶铃，以加速跑的形式从标志桶A处跑至中心位置的标志桶B处，同时去接P2从标志桶C处传来的球，P2传球后向标志桶D或E做弧形跑动；P1接球后，将球传到P2弧形跑动的路线上，快速转身加速朝标志桶球门跑动，在跑动5米后，放下手中的壶铃，然后接住P2的传球，最后射门。

训练要点：保持正确的跑步技术动作；球员P2进行弧形跑动时，协调摆臂并尽力控制身体平衡。

练习量：每组重复10次，每组间歇5分钟。

五、助力和阻力弧形跑动练习

练习目的：发展快速弧形跑动能力。

场地设置：可以选择在足球场内进行；器材为两根弹力带和若干个标志桶，标志桶呈弧形排列，每个标桶间隔2米，总长度为20米，摆放成几种弧度。（图9-8）

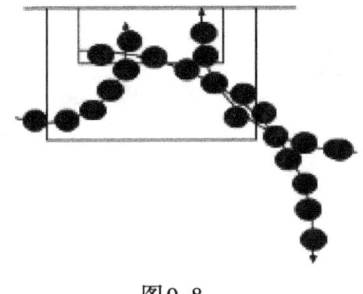

图9-8

练习方法：2人一组；2名球员系好弹力带，前、后分别用锁扣连接好，使弹力带保持一定的张力；领跑球员在起点出发，沿标志桶跑动4—5米后，弹力带拉紧，此时，随后球员出发；每次跑动后，前后球员交换位置。

训练要点：保持正确的跑姿，前面的球员积极领跑，弹力带拉长的长度不超过正常的3倍。

练习量：每组重复8次，每组间歇90秒。

六、高速弧形加速跑练习

练习目的：发展进攻型中场队员高速弧形加速跑的能力。

场地设置：可以选择在足球场内进行；器材为一根弹力带和若干个标志桶，将标志桶排列为40米长的弧形，弧形的起点在中场，终点在罚球区的某个位置。

练习方法：用弹力带将球员P1和P2连接起来；球员P1的拉力来自身体前方，P2的拉力来自身体后方，P3握住连接P2的弹力带的一端，P1沿弧形进行快速跑，P2沿直线跑，与P3拉开距离，P3向后朝P1原先的起点跑，同时注意观察P1的位置，二者保持合适的位置。（图9-9）

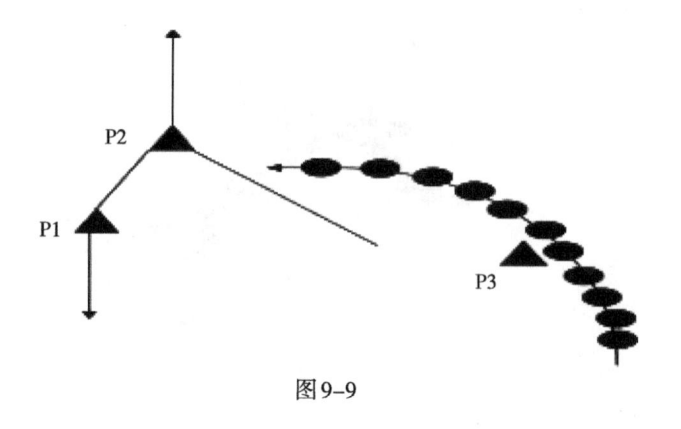

图9-9

训练要点：保持正确的跑姿，注意观察球员之间的位置。

练习量：在每组练习后，球员们变换位置，P1到P2的位置，P2到P3的位置，P3到P1的位置。每名球员交替3次。

第三节　足球后卫运动员专项体能训练

一、绳梯练习

练习目的：提高加速和减速能力、转身动作的灵活性。

场地设置：可以选择在足球场内进行；将3条绳梯、足球和标志桶按图9-10进行放置。

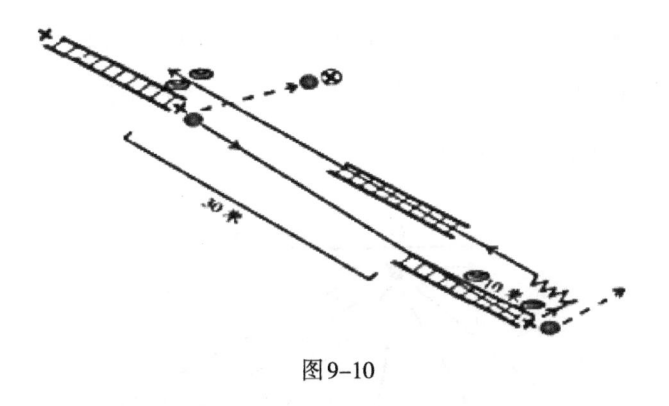

图9-10

练习方法：以加速跑的形式通过第一条绳梯，到达位置后将绳梯末端的球传给场地内的球员或教练，冲刺30米到达第二条绳梯的起点并减速通过；跑离第二条绳梯后，将绳梯末端的球横传至对面区域（传地滚球），然后转身快速通过第三条绳梯，最后返回起点。

训练要点：在冲刺阶段（其中有加速阶段和减速阶段）保持正确的跑

步技术和姿势非常关键；转身时保持身体平衡，错误的转身动作可能导致摔倒；带球时注意保持正确的技术动作。

练习量：每4组作为一大组，每组间歇3分钟。

二、后场解围球练习

练习目的：提高后卫踢解围球的能力，增强后卫的防守能力。

场地设置：可以选择在足球场内进行，器材为轻量级的壶铃、8个标志桶。

练习方法：防守球员手持壶铃站在标志桶A、B之间；听到明确的口令后，球员身体背向其他标志桶在A、B之间左右移动（可以并步，也可以交叉步移动）；然后教练随机指出场上其他6个标志桶中的某个，要求球员为其解围，球员迅速转身，加速冲刺4—5米后，放下手中的壶铃，向标志桶进行冲刺。完成一次练习后，球员慢跑或慢走返回起点，等待指示进行下一组练习。（图9-11）

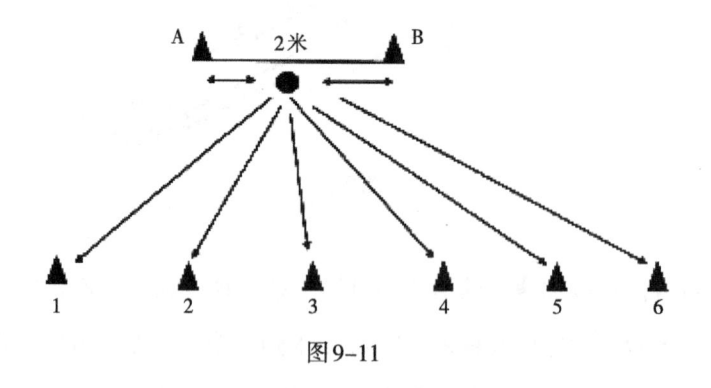

图9-11

训练要点：保持正确的姿势和技术动作，手臂摆动要连贯、流畅。

练习量：4×5次，最后加一次不附带重物的练习，每组间歇3分钟；

为了增加难度，在启动前，球员可以跳起用头顶球，同时还可以用球员持球替代场上的标志桶，防守球员紧逼指定的队员。

三、后卫拦截技术练习

练习目的：提高后卫球员的拦截技术，切断传球的技巧。

场地设置：可以选择在足球场内进行练习；器材为足球、标志桶和带有两个锁扣的弹力带，将标志桶按图9-12a进行摆放。

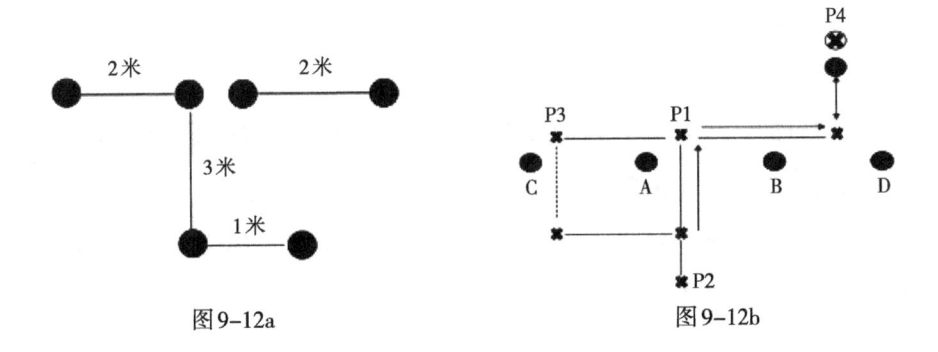

图9-12a　　　　　图9-12b

练习方法：4个球员为1个小组；球员P1系好弹力带，P2站在其背后握住弹力带的一端，P3站在P1左侧或右侧握住弹力带的另一端；教练（或球员P4）站在场地内，与球员保持一定的距离，准备进行传球；球员P1沿场地进行冲刺，P2原地不动，弹力带逐渐被拉长，阻力增大，P3、P1并列进行平行跑动，当P1到达标志桶A、B之间的区域时，朝标志桶D横向移动，此时，P3位于标志桶C处，使弹力带保持一定的张力；当P1到达标志桶D处时，接住教练的传球，可以用头或脚的内侧回传，完成后慢跑回起点。（图9-12b）

训练要点：保持正确的姿势和技术动作，手臂摆动要连贯、流畅。

练习量：2×4次（4次向左，4次向右），最后一次不系弹力带进行练习，每组间歇3分钟。

第四节 守门员专项体能训练

一、封堵练习

练习目的：提高守门员短距离快速移动的能力、灵敏素质和平衡能力，从而提高守门员的防守能力。

场地设置：可以选择在足球场内进行；器材为4条绳梯和7—8个标志桶。将绳梯平行放置在球门前，每条绳梯间隔3米。（图9-13）

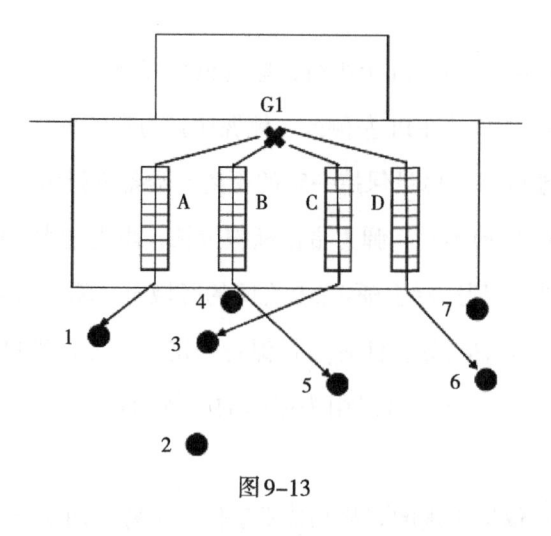

图9-13

练习方法：按照教练的指示，如听到"A5"时，球员就需要穿过绳梯，奔向第五个标志桶，以此类推。

训练要点：启动要短促而快速，双臂摆动要协调，双眼平视前方；在到达标志桶之前，守门员要张开双臂做好防守姿势。

练习量：3×5次，每组间歇3分钟；为了增加练习强度，用人带球，使练习更接近比赛要求，还可以让守门员系好一根弹力带并且固定住，给守门员增加阻力和难度。

二、侧向跑练习

练习目的：提高侧向跑动速度。

场地设置：可以选择在足球场内进行练习；器材为2条绳梯和6个足球，将绳梯横向放置在球门线前，绳梯与球门线保持30—50厘米的距离，守门员站在球门线上，将足球放在与绳梯平行（大约相距1米远）的直线上，一共摆放6个球，每个球之间保持一定的空隙。（图9-14）

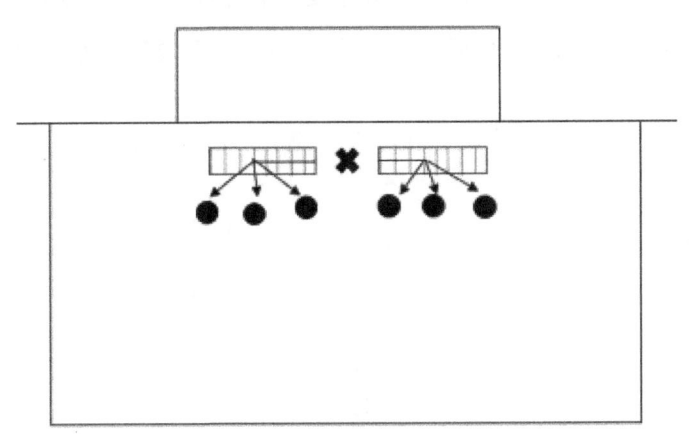

图9-14

练习方法：守门员站在两条绳梯之间；听到明确的口令时，守门员按照要求快速向左或向右侧向移动；然后，教练随意指定一个球（1、2或3），守门员以最快的速度去扑球，然后迅速起身，进行下一次练习。

训练要点：侧向移动过程中，要保持较高的身体重心，快速摆动手臂，将身体调整到准备姿势，如伸展双臂和双手，像要救球，双眼平视前方。

练习量：3×5次，每组间歇3分钟；守门员系好弹力带，弹力带的两端分别固定在球门两侧，以增加守门员移动时的阻力。

三、鱼跃腾空救球练习

练习目的：发展各种方向鱼跃救球的能力，增强守门员的防守能力。

场地设置：可以选择在足球场内进行；需要若干个足球和两根弹力带，将弹力带系在腰间，两端分别固定在球门两侧，并且保持弹力带与地面平行。

练习方法：守门员站在球门中间，使弹力带保持一定的张力；另外一名射手站在6米线的位置，将球以不同角度、不同高度、不同力度射向球门；守门员快速鱼跃扑救球，然后迅速恢复站立姿势。反复进行练习。（图9-15）

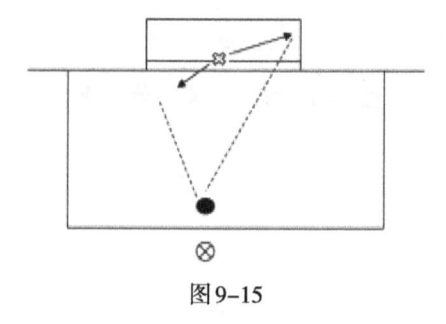

图9-15

训练要点：注意力要集中，双眼平视前方，前脚掌着地，保持身体重心的稳定性，做好防守准备姿势，动作要快。

练习量：10次为一组，每组间歇2分钟。

四、冲刺跑加跳起练习

练习目的：发展爆发力和短距离起跳能力。

场地设置：可以选择在足球场内进行；需要2根弹力带（将弹力带的两端分别固定在身体两侧）和6个标志桶，将两个标志桶（A和B）放在距球门线3米的位置，剩余的4个标志桶相互间隔3—4米，按不同的角度放在6米线的附近。（图9-16）

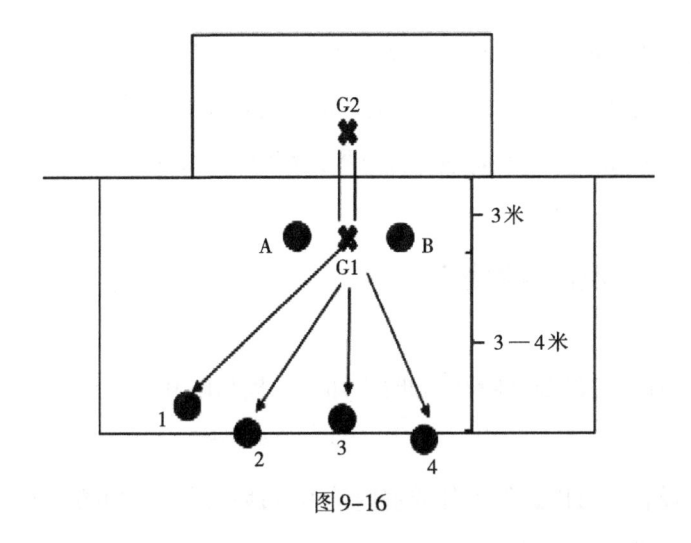

图9-16

练习方法：2人一组；将弹力带系在守门员身上，另一名球员站在球门线后拉紧弹力带的两端；教练随意指定某个标志桶，守门员迅速冲刺到该标志桶，鱼跃救球；落地后迅速回到起点位置，等待下一次练习。

训练要点：保持较高的身体重心，双眼平视前方，快速启动，脚步迅速；使弹力带始终保持一定的张力，并且用力将其拉紧，使其具有一定的阻力。

练习量：10次为一组，一共2组，每组间歇2分钟。

五、快速起身速度练习

练习目的：发展守门员快速起身能力和反应速度。

场地设置：可以选择在足球场内进行；可以选择使用2—4公斤的实心球，球的重量根据球员的年龄而定。

练习方法：双手持实心球平躺在地面上，听到明确的指示后迅速起身并抛球。

训练要点：动作要连贯，不要停顿，以最快的速度起身。

练习量：10次为一组，一共3组，每组间歇2分钟；可以通过改变身体姿势，如侧向躺、膝关节着地、背对教练员等增加难度。

六、手眼反应速度练习

练习目的：发展本体感觉和时空知觉，提高眼和手的反应速度和接球技术。

场地设置：可以选择室外或室内练习场地；需要四种颜色不同的塑料环，将彩带系在塑料环上。

练习方法：2人一组，相距5—8米；将塑料环抛起，离地5—8米，在教练的指令下抓住指定的塑料环。

练习要领：保持正确的姿势；前脚掌着地，保持身体重心的稳定性。

练习量：20次为一组，共2组，每组间歇2分钟；可以通过让守门员背对同伴，听到喊声转身抓住圆环增加难度。

七、反应速度练习

练习目的：发展轻盈、快速的反应能力。

场地设置：可以选择室外或室内练习场地，可以选择使用足球或橄榄球。

练习方法：2人一组；守门员与球员相距5米左右，球员朝着守门员方向，向地面掷球。由于球的形状不同会导致反弹并没有规律性，要求守门员在球第二次落地之前抓住球。

训练要点：守门员应前脚掌着地，保持身体重心的稳定性，双眼平视前方，身体略微前倾，做好防守准备姿势；不要太过用力，采用适当力度即可。

练习量：10次为一组，一共4组，每组间歇30秒；也可以将球投掷到墙上，守门员独自完成此练习。

八、短打棒练习

练习目的：发展手眼协调能力和反应速度。

场地设置：可以选择在足球场内进行；可以选择使用一根短木棒（或一根系有三种不同颜色彩带的木棒，将彩带固定在木棒中间和两端的位置，如图9-17所示）、网球或棒球。

图9-17

练习方法：2人一组；守门员手持短木棒，另一名球员站在离守门员

3—4米远的位置，投出手中的网球或棒球，并且在投出的一瞬间喊出要求木棒击球的部位，守门员用短木棒相应颜色的部位击打网球或棒球。

训练要点：刚开始时缓慢地投掷网球或棒球，然后逐渐加快出手速度；守门员要做好防守准备。

练习量：20次一组，一共3组，每组间歇30秒；也可以通过让守门员站在灵敏盘上完成练习增加难度。

第十章

青少年足球运动员恢复与再生训练

在训练或比赛后,运动员需要通过一定的身体活动或能量补给来进行身体上和精神上的恢复。有计划的训练可以达到再生目的,全面消除神经和肌肉疲劳。恢复再生训练包括拉伸放松、低负荷的有氧或力量训练、按摩、营养补充、水疗等。

第一节 静态拉伸

一、上肢肌群的静态拉伸

(一)三角肌前束拉伸

练习方法:盘腿坐在瑜伽垫上,背部挺直;双手在身后撑地,掌心朝下,拇指朝外;然后尽可能地向后移动双手。静力性保持15—20秒。

动作要领:动作开始时,腰背要挺直,下颌微收。

注意事项:避免肘关节过度拉伸,在三角肌前束有轻微酸痛感时保持动作幅度即可。(图10-1)

图 10-1　三角肌前束拉伸

（二）三角肌中束拉伸

练习方法：左臂屈曲背在身后，右手握住左肘并向右侧拉伸。静力性保持 15—20 秒。

动作要领：动作开始时，腰背要挺直，下颌微收。

注意事项：保持上体直立，腰背挺直，下颌微收，在三角肌中束有轻微酸痛感时保持动作幅度即可。（图 10-2）

图 10-2　三角肌中束拉伸

（三）三角肌后束拉伸

练习方法：右手伸向左侧，拇指朝下；左臂屈曲，夹住右臂，将右臂向左拉伸。

动作要领：动作开始时，腰背要挺直，下颌微收。

注意事项：保持身体正对前方，在三角肌后束有轻微酸痛感时保持动

作幅度即可。（图10-3）

图10-3　三角肌后束拉伸

（四）肱二头肌拉伸

练习方法：自然站立；双臂向后抬高，掌心朝上，在水平或略低于肩的位置握住器械；以左肩为轴，身体向右转90度；可以屈腿降低身体高度，使双臂后伸幅度增加。

动作要领：动作开始时，腰背要挺直，下颌微收。

注意事项：保持双臂伸直、上体挺直，在肌肉有轻微酸痛感时保持动作幅度即可。（图10-4）

图10-4　肱二头肌拉伸

（五）肱三头肌拉伸

练习方法：双腿分开坐在瑜伽垫上，上体挺直；左臂屈曲，左手触摸脊柱处，右手扶住左肘并将左肘向右侧拉伸。

动作要领：动作开始时，腰背要挺直，下颌微收。

注意事项：保持上体挺直，在肌肉有轻微酸痛感时保持动作幅度即可。（图10-5）

图10-5　肱三头肌拉伸

（六）下臂屈肌群拉伸

练习方法：双臂伸直，双手手指交叉，掌心朝前并向外推。

动作要领：动作开始时，腰背要挺直，下颌微收。

注意事项：保持上体挺直，在肌肉有轻微酸痛感时保持动作幅度即可。（图10-6）

图10-6　下臂屈肌群拉伸

（七）下臂伸肌群拉伸

练习方法：左臂伸直，右手握住左手手掌，将左手手掌向下、向后拉伸。

动作要领：动作开始时，腰背要挺直，下颌微收。

注意事项：保持上体挺直，在肌肉有轻微酸痛感时保持动作幅度即可。（图10-7）

图10-7　下臂伸肌群拉伸

二、下肢肌群的静态拉伸

（一）双腿韧带拉伸

练习方法：坐在瑜伽垫上；双腿伸直，双脚并拢，脚趾回勾；双手向前伸，尽可能地去触摸脚趾。静力性保持15—20秒。

动作要领：动作开始时，腰背要挺直，下颌微收。

注意事项：在股后肌群有一定拉伸感时保持动作幅度即可。（图10-8）

图10-8　双腿韧带拉伸

（二）肌腱拉伸

练习方法：坐在瑜伽垫上；一条腿伸直，脚趾回勾，另一条腿屈曲；双手向前伸，尽可能地去触摸伸直的腿的脚趾。静力性保持15—20秒。

动作要领：动作开始时，腰腹要收紧，下颌微收。

注意事项：在个人能承受的最大拉伸感处停住，保持15秒左右，保持均匀的呼吸。（图10-9）

图10-9　肌腱拉伸

（三）股四头肌拉伸

练习方法：单腿支撑，可以单手扶墙，以保持平衡；另一只手握住另一只脚的踝关节处，稍稍用力把脚拉向臀部。静力性保持15—20秒。

动作要领：拉伸股四头肌时，小腿不要过度紧张。

注意事项：屈曲的腿的膝盖应该与站立的腿的膝盖平行，而不是被拉向后方。也可侧身躺在地板上完成练习。（图10-10）

图10-10　股四头肌拉伸

（四）小腿拉伸

练习方法：双手扶墙，保持弓步姿势；后面的脚平放在地面上，前面的腿膝盖前移，尽力去触碰墙面，对小腿施加压力。静力性保持15—20秒。

动作要领：动作幅度不宜过大，在小腿肌肉有轻微酸痛感时保持动作幅度即可。

注意事项：双脚间距不应过小。（图10-11）

图10-11　小腿拉伸

（五）腘绳肌伸展

练习方法：坐在瑜伽垫上；一条腿伸直，另一条腿向内屈曲，脚趾回勾，身体前倾。静力性保持15—20秒。

动作要领：上体尽量紧贴大腿。

注意事项：保持背部平直。（图10-12）

图10-12　腘绳肌伸展

（六）内收肌肉群伸展

练习方法：双脚开立，间距约为两倍肩宽，双脚脚尖朝前；身体重心向右侧移动，同时右腿屈曲下蹲，在左腿大腿内侧有一定拉伸感时静力性保持15—20秒即可。

动作要领：腰背挺直，膝关节不要超过脚尖。

注意事项：保持背部平直。（图10-13）

图 10-13　内收肌肉群伸展

三、躯干肌群的静态拉伸

（一）背阔肌伸展

练习方法：自然站立；双手手指交叉，在胸前紧握，双手向外推，使双臂向前伸直；背部微屈。静力性保持 15 — 20 秒。

动作要领：在背部肌群有一定拉伸感时保持动作幅度即可。

注意事项：保持均匀的呼吸。（图 10-14）

图 10-14　背阔肌伸展

（二）胸背部拉伸

练习方法：站立或跪在瑜伽垫上；双手在背后交叉，双臂伸直并向上抬起；腰部向前屈曲，同时将下颌贴近胸部。静力性保持15—20秒。

动作要领：在肌肉有一定酸痛感时保持动作幅度即可。

注意事项：保持均匀的呼吸。（图10-15）

图10-15 胸背部拉伸

第二节　按摩与放松

一、小腿后群肌肉练习

练习方法：坐在瑜伽垫上，保持上体直立；双腿伸直并交叉；将泡沫轴放在上面的腿小腿后侧，使其在膝关节和踝关节之间缓慢地滚动。

动作要领：保持上体直立，起始时双腿伸直。

教学重点：保持腰腹紧张、上体直立、规律呼吸。

易犯错误：完成过程中没有做到从肌肉的一端到另一端全程放松、憋气。

推荐适用范围：在田径、球类、武术、冰雪等项目主教学课后放松时进行；双腿轮换完成动作，每条腿持续30秒。（图10-16）

图10-16　小腿后群肌肉练习

二、小腿前群肌肉练习

练习方法：保持俯撑姿势；上面的腿屈曲位于下面的腿小腿上方（以增大压力），泡沫轴位于下面的腿小腿下方，使其在膝关节和踝关节之间缓慢地滚动。

动作要领：保持身体平直、双腿伸直。

教学重点：保持腰腹紧张、规律呼吸。

易犯错误：核心区没有收紧、完成过程中憋气。

推荐适用范围：在田径、球类、武术、冰雪等项目主教学课后放松时进行；双腿轮换完成动作，每条腿持续30秒。（图10-17）

图10-17　小腿前群肌肉练习

三、大腿后群肌肉练习

练习方法：保持上体直立，双手在身后撑地，双腿伸直；泡沫轴位于大腿下方，使其在臀部和膝关节之间缓慢地滚动。

动作要领：保持上体直立、双腿伸直。

教学重点：保持腰腹紧张、规律呼吸。

易犯错误：核心区没有收紧、完成过程中憋气。

推荐适用范围：在田径、球类、武术、冰雪等项目主教学课后放松时进行；双腿轮换完成动作，每条腿持续30秒。（图10-18）

图10-18　大腿后群肌肉练习

四、大腿外侧肌肉练习

练习方法：保持身体平直，单肘侧撑于地面，双腿伸直；泡沫轴位于下面的腿大腿外侧，使其在臀部和膝关节之间缓慢地滚动。

动作要领：保持身体平直、双腿伸直。

教学重点：保持腰腹紧张、规律呼吸。

易犯错误：核心区没有收紧、完成过程中憋气。

推荐适用范围：在田径、球类、武术、冰雪等项目主教学课后放松时进行；双腿轮换完成动作，每条腿持续30秒。（图10-19）

图 10-19　大腿外侧肌肉练习

五、大腿内侧肌肉练习

练习方法：保持身体平直，双肘俯撑于地面；一条腿伸直，另一条腿屈曲，泡沫轴位于屈曲的腿大腿下方；骨盆略微旋转，使泡沫轴在髋关节和膝关节之间缓慢地滚动。

动作要领：一条腿伸直，另一条腿屈曲；泡沫轴位于屈曲的腿大腿下方，使其缓慢地滚动。

教学重点：保持腰腹紧张、规律呼吸。

易犯错误：核心区没有收紧、完成过程中憋气。

推荐适用范围：在田径、球类、武术、冰雪等项目主教学课后放松时进行；双腿轮换完成，每条腿持续30秒。（图10-20）

图 10-20　大腿内侧肌肉练习

六、腰部肌肉练习

练习方法：仰卧，双手在胸前交叉；双腿屈曲，双脚脚掌撑地；泡沫轴位于腰椎下方，使其在下背部缓缓滚动。

动作要领：保持核心区收紧、双腿屈曲。

教学重点：保持腰腹紧张、规律呼吸。

易犯错误：核心区没有收紧、完成过程中憋气。

推荐适用范围：在田径、球类、武术、冰雪等项目主教学课后放松时进行；如遇疼痛部位，应在疼痛部位停留20—30秒，直至疼痛减轻50%—75%。（图10-21）

图10-21　腰部肌肉练习

七、背部肌肉练习

练习方法：仰卧，双手在胸前交叉；双腿屈曲，双脚脚掌撑地；泡沫轴位于背部下方，使其在背部自上而下缓慢地滚动。

动作要领：保持核心区收紧、双腿屈曲。

教学重点：保持腰腹紧张、规律呼吸。

易犯错误：核心区没有收紧、完成过程中憋气。

推荐适用范围：在田径、球类、武术、冰雪等项目主教学课后放松时进行；如遇疼痛部位，应在疼痛部位停留20—30秒，直至疼痛减轻50%—75%。（图10-22）

图10-22　背部肌肉练习

八、脊柱肌肉练习

练习方法：仰卧，双手在胸前交叉；双腿屈曲，双脚脚掌撑地；泡沫轴竖向位于两肩胛骨之间，使泡沫轴在两肩胛骨之间左右缓缓滚动。

动作要领：保持核心区收紧、双腿屈曲。

教学重点：保持腰腹紧张、规律呼吸。

易犯错误：滚动范围过大、核心区没有收紧、完成过程中憋气。

推荐适用范围：在田径、球类、武术、冰雪等项目主教学课后放松时进行。（图10-23）

图10-23　脊柱肌肉练习

九、下臂肌肉练习

练习方法：跪坐在地面上；单臂或双臂前伸，放在泡沫轴上，使泡沫轴在腕关节和肘关节之间来回滚动。

动作要领：下臂随着来回滚动的泡沫轴缓慢地外旋和内旋。

教学重点：保持腰腹紧张、规律呼吸。

易犯错误：完成过程中憋气；上体不能保持正直，有扭转。

推荐适用范围：在田径、球类、武术、冰雪等项目主教学课后放松时进行；如遇疼痛部位，应在疼痛部位停留20—30秒，直至疼痛减轻50%—75%。（图10-24）

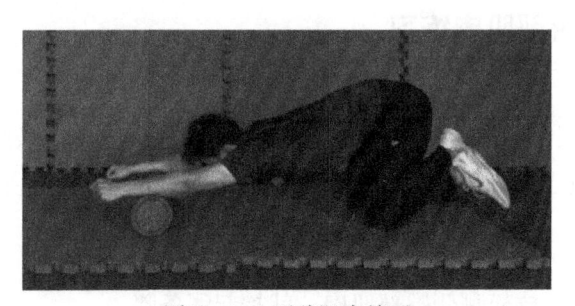

图10-24 下臂肌肉练习

十、上臂肌肉练习

练习方法：跪坐在地面上；双臂前伸，放在泡沫轴上，使泡沫轴在肩关节和肘关节之间来回滚动。

动作要领：下臂随着来回滚动的泡沫轴缓慢地外旋和内旋。

教学重点：保持腰腹紧张、规律呼吸。

易犯错误：完成过程中憋气；上体不能保持正直，有扭转；核心区没有收紧。

推荐适用范围：在田径、球类、武术、冰雪等项目主教学课后放松时进行；如遇疼痛部位，应在疼痛部位停留20—30秒，直至疼痛减轻50%—75%。（图10-25）

图10-25　上臂肌肉练习

十一、臀部肌肉练习

练习方法：坐在泡沫轴上，双手在身后撑地；抬起一条腿，使该腿踝关节处搭在另一条腿上，身体向该侧略微转动，使泡沫轴在该侧臀肌附近来回滚动。

动作要领：放松哪侧臀部肌肉，就抬起哪条腿。

教学重点：保持腰腹紧张、规律呼吸。

易犯错误：完成过程中憋气；上体不能保持正直，有扭转；核心区没有收紧。

推荐适用范围：在田径、球类、武术、冰雪等项目主教学课后放松时进行；如遇疼痛部位，应在疼痛部位停留20—30秒，直至疼痛减轻50%—75%。（图10-26）

图 10-26　臀部肌肉练习

十二、大腿后群肌肉练习

练习方法：坐在地面上，手持按摩棒在大腿后群肌肉处来回滚动。

动作要领：屈膝放松；双手持按摩棒，对大腿后群肌肉进行放松。

教学重点：要从肌肉一端到另一端来回滚动，双腿不要伸直。

易犯错误：完成过程中憋气、在某一位置来回滚动。

推荐适用范围：在田径、球类、武术、冰雪等项目主教学课课前热身和课后放松时进行。（图10-27）

图 10-27　大腿后群肌肉练习

十三、大腿内侧肌肉练习

练习方法：坐在地面上，手持按摩棒在大腿内侧肌肉处来回滚动。

动作要领：屈膝放松；双手持按摩棒，对大腿内侧肌肉进行放松。

教学重点：要从肌肉一端到另一端来回滚动，膝关节放松。

易犯错误：在某一位置来回滚动、膝关节过于紧张而伸直。

推荐适用范围：在田径、球类、武术、冰雪等项目主教学课课前热身和课后放松时进行。（图10-28）

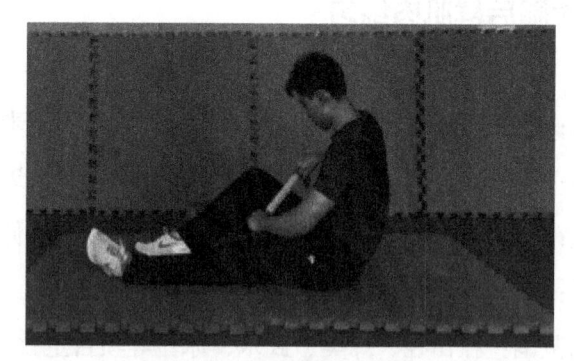

图10-28　大腿内侧肌肉练习

十四、双人肩颈部肌肉练习

练习方法：一人坐在地面上，另一人双手持按摩棒在其肩颈部来回滚动。

动作要领：坐在地面上的人全身放松，双手持按摩棒的人从颈后到肩上对其进行滚动放松。

教学重点：要从颈后到肩上按照肌肉走向来回滚动，膝关节放松。

易犯错误：双手持按摩棒的人只在斜方肌上某一位置来回滚动，坐在地面上的人上体过于紧张。

推荐适用范围：在田径、球类、武术、冰雪等项目主教学课课前热身和课后放松时进行。（图10-29）

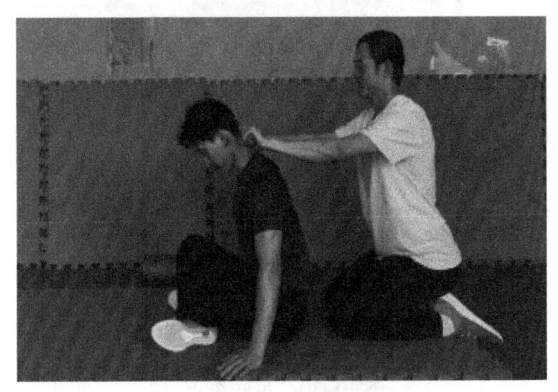

图10-29　双人肩颈部肌肉练习

十五、足底练习

练习方法：站立，将扳机球放在足底来回滚动。

动作要领：全身放松站立，将扳机球放在足底，身体略微前倾，使身体重量更多地压在扳机球上。静止10秒。

教学重点：身体重心前倾；正常呼吸，不憋气。

易犯错误：身体过于紧张、没有前倾。

推荐适用范围：在田径、球类、武术、冰雪等项目主教学课课前热身和课后放松时进行；在痛处静置10秒后继续使扳机球在足底来回滚动。（图10-30）

图10-30　足底练习

十六、小腿肌肉练习

练习方法：坐在地面上，将扳机球放在小腿跟腱处。

动作要领：上体直立；将扳机球放在一条腿跟腱处，静置10秒。

教学重点：坐在地面上，全身放松；将扳机球放在一条腿跟腱处，通过加搭另外一条腿增加刺激强度，从跟腱处由下而上进行按压。

易犯错误：完成过程中憋气、由上而下或在某一位置来回按摩。

推荐适用范围：在田径、球类、武术、冰雪等项目主教学课课前热身和课后放松时进行。（图10-31）

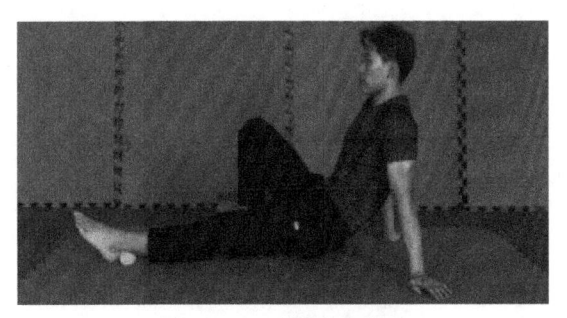

图 10-31　小腿肌肉练习

十七、扳机球·臀部肌肉练习

练习方法：坐在地面上，双手在身后撑地；将扳机球放在臀外侧。

动作要领：上体不动，身体略微向扳机球一侧倾斜，静置10秒后缓慢地滚动。

教学重点：上体直立，收紧核心区；可以通过抬起同侧腿增加按压强度。

易犯错误：完成过程中没有保持规律呼吸、扳机球滚动范围过大、核心区过于松垮。

推荐适用范围：在田径、球类、武术、冰雪等项目主教学课课前热身和课后放松时进行。（图10-32）

图 10-32　扳机球·臀部肌肉练习

第十一章

青少年足球运动员训练计划与案例

第一节　年度训练计划

一、年度训练计划

年度训练计划有时也被称为"大周期"（Macrocycle）——描述了某一具体的年度训练中的总体训练结构。年度训练计划的实际结构主要取决于运动员的发展状态、多年度训练计划规定的训练目标，以及运动员或团队的比赛日程。在传统的文献资料中，年度训练计划通常包含一个大周期；还有一种替代型训练方法，就是将该训练年度分为两个或三个大周期，以应对多个赛季或满足参加多个运动项目比赛的运动员的需求。

无论年度训练计划中的大周期的数量有多少，其基本负荷都是从更大的训练量向技术针对性更高的训练强度和更小的训练量的方向发展的。此外，随着整个年度训练计划中的训练负荷的改变，训练的重点也会发生变化。这些训练重点的变化能够很容易体现在大周期中的准备期、比赛期和过渡期中。

（一）准备期

年度训练计划的准备期产生的生理、心理和技术适应可为比赛期奠定基础。根据运动员的发展水平和个人运动项目的要求，准备期花的时间为3—6个月。从理论上来讲，年轻运动员或运动水平较低的运动员应当在一般准备期花更多的时间，高水平运动员由于已经打下了良好的训练基础，在该训练期花的时间较少。在准备期总共花的时间要分散在年度训练计划包含的各个大周期中。例如，美式橄榄球采用的年度训练计划通常包含两个大周期，在初春季节有3—4个月的准备期，在秋季前还有3个月的准备期。无论年度训练计划中的准备期的长短和数量情况如何，传统分期理论都将准备期分为两大类：一般准备期和专项准备期。一般准备期（General Preparatory Phase）通常在准备期的早期阶段，它的设计目的是奠定常规身体训练的基础。一般准备期的特点是训练量大、训练强度低，包含发展一般运动能力和技能的多种多样的训练方法。专项准备期（Specific Preparatory Phase）重点发展运动项目的专项性运动能力和技能，提高该运动项目的竞技备战水平。专项准备期通常包含与高强度爆发力训练结合的更高的训练负荷，同时更加注重专项性训练，以便充分利用在一般准备期中奠定的训练基础。从概念上讲，专项准备期是为了加强训练基础，同时为运动员进入年度训练计划的比赛期做好准备。

尽管传统理论通过对这两种细分准备期进行排序而改变了训练重点，但另一种训练模式表明，这两种细分期应当以不同的侧重水平来同时进行。这种使一般准备期与专项准备期同时进行的备选型排序模式基于这样一种理念——准备期的长短是由获得项目能力形式需要的时间来决定的，而不是由包含1—3个大周期的年度训练计划的紧凑结构来决定的。

（二）比赛期

比赛期的主要目标是保持或略微提高在准备期获得的生理适应和专项运动技能，同时在合适的时间点提高备战状态和竞技水平。这些目标主要通过专项练习来实现，比如技能练习手段的训练较少关注常规的身体准备活动。技能训练手段可以发展竞技取胜必需的技能水平和运动智能。

通常，在整个比赛期内，训练量会减少，而训练强度会加大。在遵循这一基本负荷模式时，必须认识到，由于比赛日程的原因，训练量和训强度在整个比赛期当中都会发生波动。阐述训练分期的传统著作经常建议将比赛期划分为竞赛前期和主要比赛期。

竞赛前期（Precompetitive Subphase）应当被看作准备期和主要比赛期之间的环节。该阶段的主要内容是安排非正式比赛的日程，比如表演赛。必须注意的是，该阶段的主要目标不是达到最高水平的竞技状态，而是仅仅把比赛作为一种训练工具或准备手段。从概念上讲，这些比赛的作用是测试运动员针对其主要比赛目标取得的进展。

主要比赛期（Main Competitive Subphase）的重点是最大限度地提高运动员的备战水平，使其达到最佳的竞技状态。决定主要比赛期时间长短的主要因素是实际的比赛日程，这经常由体育项目主管部门来决定，如全美大学生体育协会。随着运动员进入这一阶段，必须对训练刺激进行调整，以保持或不断提高专项运动的体能状态和在前一阶段获得的技能。主要比赛通常在该阶段的最后（即联盟杯赛的田径运动会）。在主要比赛到来之前要进行8—14天有组织的塔式训练。

（三）过渡期

过渡期（Transitional Phase）被看作两份年度训练计划或大周期之间的重要桥梁。通常，在过渡期内应当大幅降低训练负荷，并重点进行常规性训练活动，以保持良好的体能水平。此外，还应当进行最低限度的专项运动技能训练，以保持技术熟练度。这一年度训练计划的重要阶段通常持续2—4周，但如果年度训练计划的压力特别大，则可以延长至6周。

在某些情况下，在过渡期的某一阶段，训练可能完全中止。但是，如果训练停止很长一段时期，那么运动员的体能将大幅下降，从而导致严重的规划问题。在这种情况下，就需要在下一准备期内重点恢复在前一年度训练计划中达到的基本体能水平，而不是按正常情况下预计的那样去提高运动员的体能。通常，过渡期内，在允许运动员进行极大地降低负荷的练习的同时，还应当使运动员的身体状态和精神状态焕然一新。

二、大周期

大周期（Macrocycle）在传统上被看作季度训练计划或年度训练计划。但是对许多运动项目来说，很可能年度训练计划中包含了几个季度计划（比如长跑选手经常进行越野赛、室内跑道赛和室外跑道赛），而且可能需要几个大周期（2—3个）来指导训练活动。例如，在跨越室内和室外赛季的跑道赛和越野赛中经常可以看到几个大周期的情况，另外在含有春季赛和秋季赛的大学生橄榄球赛中也能看到。虽然在春季赛中不会达到比赛的最佳效果，但由于重点在于实践，一些体能教练在对其球队结构做出决定时会把重点放在这一期间的比赛上。从理论上讲，大周期应当被看作一份针对专项训练和比赛目标的训练计划，且比赛目标应当与年度训练计划规定的总体目标吻合。这些目标是通过同时在中周期和小周期层面上控制专项训练活动来实现的。

由于大周期也包括准备期、比赛期和过渡期，在总体结构上与年度训练计划非常相似。如同年度训练计划，每个大周期的总体进展模式也是从低强度、大训练量向强度更高、训练量更小的专项训练推进。每个大周期随后与过渡期衔接。必须注意的是，对于各个连续的大周期，其训练强度，以及对技术战术训练和专项训练的重视程度都会提升。总体来说，每个大周期都会根据年度训练计划的总体目标和目的来组织。通常，年度训练计划的最后一个大周期将针对该训练计划中包含的最重要的比赛。

三、中周期

在传统意义上，中周期（Mesocycle）被看作中期训练计划。它通常包括2—6个相互关联的小周期。中周期通常还被看作多个训练单元或多个小周期的组合。在查阅有关中周期结构的传统资料和现代资料时，经常会注意到中周期通常持续4周左右。在大约4周的专项中周期后，似乎就会出现渐进式训练效果（即对训练刺激的适应性反应下降）。这些效果有可能与一种退步状态有关，在该状态下，体能或竞技表现上的收效会停滞不前或开始下降。一般情况下，在第四周的时候改变训练刺激，就可以避免体能或竞技表现上的这种下降，并朝着既定的目标不断迈进。从结构性的立场来看，4周的中周期训练可以使延迟的各种训练效果相互叠加，从而充分利用累积的训练效果。可以按照中周期针对的目标将其分为8—10类。

通过对一系列特定的中周期进行排序和衔接，就可以制定基本的训练计划。单元化中周期的支持者们提出了一种简化的中周期分类体系，该体系中设计了3种基本的单元：积累型、转换型和实现型。

四、小周期

小周期是最小、最基本的训练结构，并且包含了非常具体的训练目标。小周期的基本长度主要是由总体训练计划阶段来决定的，它的持续时间为几天到两周。准备期包含的小周期通常持续7天，比赛期包含的小周期的持续时间则因实际的赛程而各不相同。例如，在一般准备期内，小周期的持续时间为7天。相比之下，在比赛期，一周可能有两场比赛。这样可能需要安排两个小周期：一个为期3天，一个为期4天。小周期的实际结构主要取决于它在整个规划结构（中周期、大周期和年度训练计划）当中所处的位置、运动项目或运动员的具体要求、运动员对训练压力的承受能力及训练活动的时间安排。

一般准备期和专项准备期是小周期的两个主要类别。

在准备期的前期，训练的目的是通过采用被称为"一般准备小周期"的准备期来发展综合适应；而在准备期的后期，将采用专项准备小周期来发展专项适应和技能。这两种小周期还可以被进一步分为常规小周期、冲击小周期、赛前小周期、比赛小周期及恢复小周期。

常规小周期（Ordinary Microcycles）包括一系列亚极量强度的低训练负荷。在采用这种小周期时，训练负荷会随着一系列小周期的推进而逐渐且均匀地增加。

在冲击小周期（Shock Microcycles）中可以看到，在保持大训练量的同时，训练负荷会突然增大，或采用集中负荷。冲击小周期被已经具备坚实的训练基础的高级运动员在准备期和比赛期广为采用，这使得他们利用有意识地采用大训练负荷的短暂时期。如果在中周期结构内正确地安排顺序，冲击小周期可以成为极大促进生理适应和能力适应的强大工具。通常，在冲击小周期之后会采用常规小周期或恢复小周期，这取决于运动员的训练状态和训练计划的总体目标。但是，在极少数情况下，一些优秀运动员可以采用两个连续的冲击小周期。这被称为"双冲击型小周期"。冲击型小周期在优秀运动员的训练计划中可谓司空见惯，对于新手或初学者却应当避免。在考虑采用冲击小周期时，必须注意的是，冲击小周期的实施绝不应使运动员面临受伤的危险。冲击小周期应当始终采用合理而切合实际的负荷，且其间应当监控运动员的整体健康状况。

赛前小周期（Precompetitive Microcycles）也称"引导型小周期"，该阶段主要使运动员为比赛小周期做准备。该小周期可被视为赛前塔式训练期的早期阶段。它的特点是训练量减少，但同时注重提高竞技表现的专项训练活动。

比赛小周期（Competitive Microcycles）正好处于比赛之前，它可以最大限度提高竞技表现和备战水平。该小周期应当被看作赛前小周期的延伸，包括与比赛衔接的塔式训练期的后半部分，通常包括临场训练准备、前往比赛地、场地准备、热身、实际比赛，以及赛后进行的恢复活动。

恢复小周期（Recovery Microcycles）表现为训练负荷有所下降的训练结构，其目的是让运动员休息，使其伤愈，并为即将到来的训练单元做准备，从而促进恢复。

这些基本的小周期结构可以被看作一些可以相互变换位置的训练单元，通过这些单元就可以构建中周期训练计划。根据中周期的目标成果，就可以选择特定类型的小周期并进行排序。例如，如果运动员处在实现型中周期中，他们就可以进行以下连续的小周期：

赛前小周期（7天）→ 比赛小周期（7天）

相比之下，积累型中周期则可以产生不同的预期效果。因此，它包含另一组按顺序排列的小周期：

常规型（7天）→ 常规型（7天）→ 常规型（7天）→ 恢复型（7天）

作为一种选择，如果中周期结构需要在第一周采用集中负荷，则小周期可以按以下顺序排列：

冲击型（7天）→ 常规型（7天）→ 常规型（7天）→ 恢复型（7天）

最终，各种不同的小周期结构就可以根据运动员的需要、训练阶段，以及中周期、大周期和年度训练计划的各个目标来构建出各种各样的训练顺序。

五、训练日

训练日是分期训练计划中的最小训练单位。通常，一个训练日包含一个或多个相互衔接的训练课程，这些训练项目是根据小周期训练计划制定的目标来构建的。一个训练日当中的训练课程的密度主要取决于运动员的发展水平、为训练安排的时间及训练的阶段。一般来说，很多著作的作者都建议将整个训练日当中的多节训练课间隔安排。相信将较短的训练周期在整个训练日中加以编排可以产生更大的生理适应，并最终在竞技表现上产生更大的收获。在科学文献中可以找到这种论点的依据，其中有研究表明，与一天一节训练课相比，一天两节训练课可以产生更大的神经、肌肉适应和增殖性适应，即便是训练量保持不变。最终，改变一个训练日当中的训练密度，就可以使训练计划更加富于变化。

六、训练课

训练课程或练习项目是分期训练计划中最基本的结构单位。通常，一天要进行多节训练课，以便针对几种不同的训练因素。一天的训练组织当中可以包含定时间隔的多节训练课，也可以在各个训练课程当中安排短暂的休息时间（少于 40 分钟）。根据这些课组织方法，一节训练课通常可包含少于 40 分钟的任何休息时间。

第二节　足球运动员体能训练计划案例

体能教练的最终目标是让运动员在比赛开始时达到最佳体能水平，并在整个赛季期间保持这种状态。为了达到这种水平，教练必须构建一个结构化的、循序渐进的、有可达到的训练目标的年度训练计划。不能随意将体能课纳入训练课程，不能简单地在某一天做敏捷或增强式锻炼，仅因为"喜欢"或因为"男孩们已经有一段时间没做了"。事实上，设计训练计划是任何足球教练最重要的任务之一，这对业余球队的教练和青年教练来说都是一项独特的挑战。对青年教练来说，一个常见的问题是许多年轻运动员经常不止为一支足球队踢球或不止参加一项竞技运动。因此，必须进行适当的规划，以防止训练过度或训练倦怠。相比之下，业余球队的教练可能无法进行全年的团队训练，因此训练季被缩短了。对于这些教练，由于准备时间被缩短了，在赛季前达到峰值体能水平变得困难。在本章中，我们将帮助您为整个训练年度设计一个循序渐进的训练计划，这些计划考虑到大多数业余和青年队每周只有2—3天的训练时间，只有几个月的休息和季前准备时间。

1.周期化

球员并不能全年都保持最佳状态，因此，足球体能教练的最终目标是确保球员在比赛开始时（或之后不久）达到巅峰状态。要做到这一点，我们需要一个系统，让我们的球员逐步形成他们的工作能力，并使他们在一个特定的时刻及时利用，以取得最大的进步，防止受伤或疲劳。周期化是根据每年的训练计划组织不同的阶段或单元。每个阶段都有特定的状态目标，并允许依据前一个阶段获得的进步进行构建。在足球训练方面，周期化允许从高训练量、低强度的一般阶段（旨在形成工作能力和基础体能水平）过渡到高强度和足球专项训练阶段。周期化不仅可以使球员在赛季开始时能力达到峰值状态，而且可以提供多种训练，并有助于防止身体和心理疲劳。对大多数足球队来说，训练年分为三个主要区段或阶段：准备期、比赛期和过渡期。

2.准备期

准备期是一个非常重要的调节时期：由于没有预定的比赛，在不损害技术和战术准备的情况下，可以将更多时间用于体能方面的训练。准备期的长短可能因团队而异，但通常分为多个阶段。为了本书的目的，选择进一步将休赛期分为早期和后期，每个阶段长度为4—6周。本赛季这个阶段的主要训练目标是建立一个基础水平的训练，这将增加球员对更激烈的训练的容忍度。因此，此阶段的体能训练应该是高训练量、低强度的。在初始阶段或休赛期早期，教练应注重提高球员的有氧耐力，训练基本力量，使其重新获得基本的速度和敏捷技术。休赛期的后期阶段应该建立在最初的目标上，并为球员赛前阶段做好准备，即需要强度更大的训练。赛前阶段的规划可能具有挑战性，因为球员需要适应比赛的高强度性质，但也必须优先考虑技术和战术准备。无论联盟如何，这个训练阶段通常都持续3周，并且必须做好计划。这个阶段的主要目标是准备进行比赛，通过发展爆发力、无氧和力量耐力，以及启动速度和加速度来实现。

3.比赛期

在竞争激烈的竞赛期中，达到并保持最佳的竞技状态是足球训练的全部内容。这并不是一件容易的事情，尤其是对那些有着长达6个月的竞赛期的球队来说。在这一阶段，必须仔细计划并执行体能训练，以便在比赛后得到最佳恢复，因此，调节训练应该是低训练量、高强度的。无论竞赛期长度如何，训练的主要目标都是保持在休赛期和赛前阶段获得的体能水平。但是，在每周两次的训练计划中定位所有训练成分将非常困难，因此，建议执行在三周周期内覆盖所有成分的循环训练系统。在此阶段，预防损伤也应成为一个主要焦点，进一步突出对低训练量、高强度训练形式的需求。此外，教练应确保不忽视平衡和柔韧性训练。

4.过渡期

过渡期指竞赛期结束和休赛期开始之间的阶段。但是，对于有多个竞赛期的团队，过渡期也指一个竞争期结束和下一个赛前阶段开始之间的阶段。这个阶段的长度可以为一周到几个月，取决于联赛或比赛标准。过渡期的主要目标是球员的身心恢复；但是，球员在此期间也应该进行一些身体活动，以保持基础体能水平，这确保他们在下一个赛前阶段或休赛期开始时不会感到体力透支。因此，教练通常在这个阶段采用交叉训练技术。通过进行与足球无关的体育活动，球员可以在参加长时间高强度训练后，在保持基本体能水平的同时从精神上得到恢复。

一、制定体能训练计划的基本要求

1.确定竞赛期的日期和长度。这可能在联赛中有很大差异。

2.根据竞赛期的安排，确定休赛期和竞赛前期的日期和时间。对每个阶段，都要列出要完成的训练目标。

3.确定在赛季的每个阶段每周可以安排的训练课程次数。

4.根据休赛期开始时的体能评估制定具体目标。计划必须考虑到所有的训练成分，一周可能包含一个或多个成分，而且可能需要实时修改训练计划，以对其进行改进。在赛前阶段和比赛期间进行体能评估是一个很好的手段，以确定计划的有效性及需要改善的地方。

5. 恢复应该是一个主要的优先事项，特别是在竞赛期间。因此，假设比赛在周末，则应在本周早些时候安排需要更多恢复时间的活动（如力量和增强式训练），应该降低接近比赛日的训练课程的训练量。

6. 监控球员在每个阶段的进展情况，以及是否存在过度训练的现象。对于为多个球队效力的球员，教练应该深入了解其他球队的训练方案，并相应地调整该球员的训练量和频率。

7. 使练习手段与年龄相适应，并增加训练课程的多样性，这对于预防精神疲劳，以及避免产生枯燥、乏味之感尤为重要。

注意：这些只是一般指导原则，教练必须根据球员的需求、球员和教练的时间承诺及整个赛季的比赛日程制定、安排计划。

二、足球运动员体能训练计划案例

本部分主要介绍本赛季各个阶段的每周训练计划示例（每周2节训练课），这些计划适用于训练时间有限的青年教练和业余球队的教练。每个计划都是基于上述指导原则和该周期的训练目标制定的。这些只是示例计划，应根据团队的需求和每个训练阶段球员的进步程度进行量身定制。如前所述，比赛阶段的主要训练目标是维持在休赛期和赛前期间获得的体能水平。然而，由于训练期间用于体能训练的时间较少，在每周两次的体能训练计划中瞄准所有的训练成分是不切实际的。建议使用一个三周周期内覆盖所有成分的循环系统：在第一周（周期A），将重点放在敏捷性和爆发力训练上；在第二周（周期B），将重点放在爆发力、无氧耐力、启动速度和加速度训练上；在第三周（周期C），重点是保持力量和无氧耐力，以及启动速度和加速度的训练。

（一）准备期

1. 准备期·前期训练计划示例

训练第1天（共2天）

赛季阶段：准备期·前期 训练目标：培养有氧耐力、基本力量和基本敏捷性 训练时长：90分钟			
组成成分	组数和次数	总时长	注意事项
热身	/	15分钟	平衡练习应该被安排在日常热身的最后。
速度/敏捷性练习 （1）Z形跑和接球 （2）绳梯加转身和运球	1—2组（6—8次/组）	20分钟	将训练重点放在敏捷性上。在这个阶段，所有的敏捷性练习都应该是最基础的。
力量/爆发力练习 （1）俯卧撑+侧脚截击球 （2）深蹲+顶球 （3）带球平板支撑	2—3组（8—12次/组） 3组（保持平板支撑30秒）	25分钟	力量训练应注重发展基础力量。
耐力练习 教授防守模式	3组（每组120秒）	15分钟	/
小型或常规游戏	连续进行5分钟的游戏	10分钟	可以修改或增加限制来强调某个战术主题。
放松	/	5分钟	/

训练第2天（共2天）

| 赛季阶段：准备期·前期 |
| 训练目标：发展有氧耐力和适当的冲刺技术 |
| 训练时长：90分钟 |

组成成分	组数和次数	总时长	注意事项
热身	/	15分钟	包括专项动作模式训练。
速度/敏捷性练习 （1）长距离传球和全力以赴的冲刺 （2）给球+立即传球	1—2组（6—8次/组）	25分钟	重点强调速度。在这个阶段，所有的速度练习都应该注重建立适当的技术。
力量/爆发力练习	/	/	/
耐力练习 间歇训练形式，个人运球练习	8—10个工作序列：休息周期（每周期2分钟）	20分钟	每1—2周增加工作时间或降低工作与休息的比例。
小型或常规游戏	连续进行5分钟的游戏	25分钟	可以修改或增加限制来强调某个战术主题。
放松	/	5分钟	/

2. 准备期·后期训练计划示例

训练第1天（共2天）

| 赛季阶段：准备期·后期 |
| 训练目标：发展离心力量、无氧耐力和反应敏捷性 |
| 训练时长：90分钟 |

组成成分	组数和次数	总时长	注意事项
热身	/	15分钟	平衡练习应该被安排在日常热身的最后。
速度/敏捷性练习 （1）4个标志桶影子练习 （2）Z形跑+射门	1组（6—8次） 2组（6—8次/组）	20分钟	可以进行包含反应能力练习的敏捷性练习，来提高练习的复杂性。

续表

组成成分	组数和次数	总时长	注意事项
力量/爆发力练习 全身力量训练循环	循环2次	25分钟	在这个阶段，力量练习应该集中在发展离心力量上。
耐力练习 带球折返跑	2—3组（3次/组）	15分钟	在休赛期，可以将无氧耐力训练纳入常规练习。
小型或常规游戏	连续进行5分钟的游戏	15分钟	可以修改或增加限制来强调某个战术主题。
放松	/	5分钟	/

训练第2天（共2天）

赛季阶段：准备期·后期
训练目标：提高速度耐力、有氧耐力和基础水平的爆发力
训练时长：90分钟

组成成分	组数和次数	总时长	注意事项
热身	/	15分钟	包括模式或手臂动作练习。
速度/敏捷性练习 （1）防守练习·包围 （2）一次触球射门	1—2组（6—8次/组）	20分钟	可以包括针对速度耐力的练习。
力量/爆发力练习 （1）跳到合适位置+一次触球传球 （2）垂直纵跳+顶球	2组（8次/组）	10分钟	在这个阶段，可以开始在常规练习中引入初学者增强式练习。
耐力练习 中心圈运球游戏	5—6个工作序列（2—3分钟/序列）	20分钟	每1—2周增加工作时间或降低工作与休息的比例。
小型或常规游戏	连续进行5分钟的游戏	20分钟	可以修改或增加限制来强调某个战术主题。
放松	/	5分钟	/

（二）赛前阶段训练计划示例

训练第1天（共2天）

赛季阶段：赛前阶段
训练目标：发展爆发力、无氧耐力和力量耐力
训练时长：90分钟

组成成分	组数和次数	总时长	注意事项
热身	/	15分钟	平衡练习应该被安排在日常热身的最后。
速度/敏捷性练习 1. 短距离冲刺+半侧身射门 2. 带球后退和冲刺	1组（6—8次）	20分钟	在这个阶段，应该进阶到属于复杂类别的敏捷性练习。
力量/爆发力练习 1. 多个向前障碍跳 2. 多个侧向障碍跳 3. 全身力量训练循环	1—2组（5—6次/组） 循环2次	30分钟	在赛前阶段，所有的力量训练都应集中在力量耐力上，最好通过循环训练来进行。
耐力练习 1 vs 1突破游戏	1组（8次）	10分钟	重点是无氧耐力（磷酸原系统）训练。
小型或常规游戏	连续进行5分钟的游戏	20分钟	可以修改或增加限制来强调某个战术主题。
放松	/	5分钟	/

训练第2天（共2天）

赛季阶段：赛前阶段
训练目标：发展爆发力、无氧耐力，以及启动速度和加速度
训练时长：90分钟

组成成分	组数和次数	总时长	注意事项
热身	/	15分钟	/
速度/敏捷性练习 1. 下落球一次触球射门 2. 运球和追逐	1—2组（6—8次/组）	20分钟	在这个阶段，应该把速度训练的重点放在启动速度和加速度上。

续表

组成成分	组数和次数	总时长	注意事项
力量/爆发力练习 1. 侧向障碍跳 2. 单腿垂直纵跳 3. 击掌俯卧撑	2组（5—6次/组）	25分钟	在这个阶段只有爆发力训练，增强式训练应该适用于中级到高级水平。
耐力练习 控球、传球、冲刺	4—6次	15分钟	重点是无氧耐力（快速糖酵解系统）训练。
小型或常规游戏	/	20分钟	可以修改或添加SSG（Small-Sided Game）限制来强调某个战术主题。
放松	/	5分钟	/

（三）竞赛期训练计划示例

1. 周期A

训练第1天（共2天）

赛季阶段：竞赛期
训练目标：训练敏捷性和爆发力
训练时长：90分钟

组成成分	组数和次数	总时长	注意事项
热身	/	15分钟	将绳梯纳入动作模式训练。
调节性练习 （1）分腿蹲变式 （2）单腿垂直纵跳+顶球 （3）Z形跑+接球	2组（5—6次/组） 1—2组（6—8次/组）	20—25分钟	增强式训练应至少安排在比赛前48小时，以确保最大限度的恢复。
足球专项训练 功能训练、小场游戏	/	20—30分钟	/
小型或常规游戏	/	20—30分钟	可以是4 vs 4到11 vs 11（取决于人数），几乎没有限制。

续表

组成成分	组数和次数	总时长	注意事项
放松	/	5分钟	/

训练第2天（共2天）

赛季阶段：竞赛期
训练目标：训练敏捷性
训练时长：90分钟

组成成分	组数和次数	总时长	注意事项
热身	/	15分钟	平衡练习应该被安排在日常热身的最后。
调节性练习 （1）向前、向后的练习·第三人传球 （2）跳跃4个标志桶+顶球 （3）4个标志桶影子练习	3组 （15次）	20—25分钟	敏捷性练习可以是基础练习和提高练习的组合。
足球专项训练 功能训练、小场游戏		20—30分钟	/
小型或常规游戏	/	20—30分钟	可以是4 vs 4到11 vs 11（取决于人数），几乎没有限制。
放松	/	5分钟	/

2. 周期B

训练第1天（共2天）

赛季阶段：竞赛期
训练目标：训练下肢爆发力、启动速度和加速度
训练时长：90分钟

组成成分	组数和次数	总时长	注意事项
热身	/	15分钟	包括模式或手臂动作练习

续表

组成成分	组数和次数	总时长	注意事项
调节性练习 （1）单腿侧向障碍跳 （2）180度障碍跳 （3）一次触球传切配合	2组（5—6次/组） 1组（8次）	20—25分钟	/
足球专项训练 功能训练、小场游戏	/	20—30分钟	/
小型或常规游戏	/	20—30分钟	可以是4 vs 4到11 vs 11（取决于人数），几乎没有限制。
放松	/	5分钟	/

训练第2天（共2天）

赛季阶段：竞赛期
训练目标：训练上肢力量、无氧耐力，以及启动速度和加速度
训练时长：90分钟

组成成分	组数和次数	总时长	注意事项
热身	/	15分钟	平衡练习应该被安排在日常热身的最后。
调节性练习 （1）防守练习·包围 （2）击掌俯卧撑和两次接触传球 （3）控球·冲刺传球	1组（6—8次/组） 3组（5—6次/组） 每人重复3次，每次90秒	20—25分钟	/
足球专项训练 功能训练、小场游戏	/	20—30分钟	/
小型或常规游戏	/	20—30分钟	可以是4 vs 4到11 vs 11（取决于人数），几乎没有限制。
放松	/	5分钟	/

3. 周期 C

训练第1天（共2天）

组成成分	组数和次数	总时长	注意事项
赛季阶段：竞赛期 训练目标：训练力量耐力和无氧耐力 训练时长：90分钟			
组成成分	组数和次数	总时长	注意事项
热身	/	15分钟	/
调节性练习 （1）1 vs 1 运球到底线 （2）全身力量训练循环	1组（10次） 2个循环	20—25分钟	在比赛期间，最好在一周的早些时候安排力量训练，以便在比赛前达到最大限度的恢复。
足球专项训练 功能训练、小场游戏	/	20—30分钟	/
小型或常规游戏	/	20—30分钟	可以是4 vs 4到11 vs 11（取决于人数），几乎没有限制。
放松	/	5分钟	/

训练第2天（共2天）

组成成分	组数和次数	总时长	注意事项
赛季阶段：竞赛期 训练目标：训练无氧耐力、略微强调启动速度和加速度 训练时长：90分钟			
组成成分	组数和次数	总时长	注意事项
热身	/	15分钟	平衡练习应该被安排在日常热身的最后。
调节性练习 （1）运球和追逐 （2）2 vs 2 小场游戏	1组（6—10次） 每支球队4—5场比赛（每场比赛90秒）	20—25分钟	对于2 vs 2 小场游戏，最好在每个球门线上打2个小目标，鼓励运动员进行更多的攻击。

续表

组成成分	组数和次数	总时长	注意事项
足球专项训练 功能训练、小场游戏	/	20—30分钟	/
小型或常规游戏	/	20—30分钟	可以是4 vs 4到11 vs 11（取决于人数），几乎没有限制。
放松	/	5分钟	/

提供的示例计划适用于在训练年度中有一个主要竞赛期的团队，但是可以对它们进行修改，以便有多个竞赛期的团队也可以使用它们。任何球队都应该在竞赛期之前安排赛前阶段，然后可以进行为期3周的赛前计划训练。有一个以上竞赛期的团队必须使每个竞赛期包含过渡阶段，然后才能开始为下一个竞赛阶段做准备。

第三节 法国青少年足球教学训练课的组织过程和教学模式

法国是世界足球强国,其国家队多次闯入世界大赛的决赛圈,曾经两夺欧洲杯和联合会杯。法国也是欧洲培养、输出足球人才最多的国家之一,其强大而完善的青少年足球训练体系保障了法国足坛人才辈出,长期屹立于世界足坛强国之列。因此,探析法国青少年足球教学训练课的过程和教学模式为我国校园足球的科学化教学训练提供了思路。法国青少年足球教学训练课的结构主要为热身 — 比赛 — 技术练习 — 情景 — 比赛。训练课的教学环节通常包括准备工作、内容介绍、组织实施、纠正和总结等。法国青少年足球教学训练课采用的教学模式主要有自主适应性教学模式、战术决策教学模式、执行性教学模式。

一、法国青少年足球教学训练课的结构

近几年,法国青少年足球教学训练课的结构主要分为以下5个部分:热身、比赛、技术练习、情景、比赛。对U9—U13年龄段的运动员来说,通常采用的教学训练模式是比赛 — 技术练习 — 情景 — 比赛。之所以采用这种教学训练模式,主要是很多运动员的足球技术非常好,但在比赛中不能很好地发挥竞技能力。法国足球教学训练课组织结构设计的指导思想

是"以比赛为中心"，通过比赛来发现问题，根据在比赛中发现的问题来安排技术练习和情景训练，提高技术练习和情景训练的针对性和实效性。总体来说，足球教学训练课的内容设计紧扣主题，练习方法新颖而多样，贴近实际，针对性强，能调动、激发学生的思维，并对其进行拓展。

二、法国青少年足球教学训练课的教学环节

（一）课前准备

在足球教学训练课前，教师需要花20—30分钟的时间做课前准备工作，保障教学训练工作安全、有序、高效地进行。首先，准备器材，主要包括足球、队服、标志桶、标志碟、标志杆、训练圈等；其次，布置场地，教师根据学生年龄、教学训练目标和内容设计场地的大小、器材之间的距离、练习中组的距离等。通常情况下，传接球练习的场地设计会大一些，让学生充分地跑动，并且有很大的场地空间进行传接球。教师尽可能地把各种练习需要的器材都布置在场地上。在课前让学生穿好至少两种颜色的队服，并让学生在第一个练习场地和器材前集合。

（二）课的内容介绍

教学训练课内容的介绍分为两个部分：首先是对本次教学训练课的主题进行介绍，其次是对课中每个环节中的教学训练内容进行介绍。课的主题介绍主要是简要地介绍这个主题的重点和要求。例如，以打破防守射门为主题的教学训练课简要地介绍打破防守射门是通过人数优势，利用传球或突破打破对方的防守平衡，找到射门的机会，形成攻门得分。各环节教学训练内容的介绍主要是概括性地阐述课中技术练习、情景练习、比赛等环节的教学训练内容。例如，在U9以少打多情景练习内容的介绍中，教师重点围绕这几个方面进行介绍：1.情景练习的目的，通过以少打多打破

防守，实现射门得分；2.情景练习的场地布置，场地上各个标志碟和香蕉栏架的作用；3.情景练习中的得分方式，一组学生进攻，一组学生防守，每次2人进攻，1人防守，进攻者想办法突破防线，把球打入栏架得1分；4.情景练习的限制条件，如练习时间、运动空间、传球脚数等，还要强调技术练习的要求，如打入小门得分必须用脚内侧射门方法；5.情景练习的实践演示，找几个学生进行实践演示，如在以少打多情景练习的演示中，两人进攻，一人防守，演示两遍；6.提问，教师通过提问的方式询问学生是否理解情景练习的基本方法和要求，必要时让学生复述情景练习的基本方法和要求，了解学生对教师讲解内容的理解程度。如果情景练习比较复杂，限制条件比较多，教师就可采用战术板来介绍情景练习的方法和要求，然后再安排学生进行实践演示。

（三）教学训练过程的组织实施

课的组织是教师通过有效的教学行为来实施教学内容的过程，这是确保教学训练课教学效率和质量的重要环节。在教学训练课的组织中，教师的教学行为主要包括观察和指导、得分管理、鼓励和表扬等。

1.观察和指导

观察和指导指教师通过认真观察来掌握学生的练习过程，并完成课程任务，在必要时给予一定的提示和指导。在教学训练过程中，教师要认真观察学生是否按练习方法和要求进行练习，不急于纠正学生在练习过程中出现的问题。如果个别学生没有完全理解练习的方法，教师可通过提问的方式让他们思考练习中存在问题的原因及解决方法。在教学训练课的情景练习和比赛过程中，法国教师重视培养学生独立思考和应变的能力，充分发挥学生学习的主体能动性，让学生在反复练习中逐渐理解并掌握练习的方法和要求，很少打断练习过程。

2. 得分管理

得分管理指教师在情景练习和比赛中及时反馈练习/比赛的得分情况。在情景练习和比赛中，教师根据练习/比赛情况及时报出每个组的得分情况，让学生及时了解练习/比赛的结果。

3. 鼓励和表扬

在青少年足球训练中，法国教师非常重视及时鼓励、表扬学生的运动表现，很少在训练中对学生的运动技术和运动表现进行批评和指责。对青少年运动员来说，鼓励和表扬有利于获得自信和快乐，提高参与训练的积极性和兴趣。在练习过程中，如果学生的动作技术不正确或未按正确的方法进行练习，教师只是让学生思考正确动作技术的要点，或告诉他们完成动作技术的正确方法。

4. 练习的纠正和调整

练习的纠正和调整指教师根据练习中学生的表现给予必要的纠正和调整。在教学训练课中，教师要根据具体的教学训练目标和内容来进行纠正和调整。在情景练习中，在学生多次反复练习后，教师会中断练习过程并提出练习中出现的突出问题，让学生去独立思考解决问题的办法。在认真听取学生在认真思考后提出的解决方案后，教师会给予一些补充的建议，或提出更为完善的解决方案，并重新组织练习。练习的调整主要是教师根据学生掌握技术练习和情景练习方法的程度，通过调整练习的限制条件，适当简化或复杂化练习的方法。降低和提高限制条件有很多种方法，如在练习进攻中，限制条件的要素主要包括扩大场地、增加进攻人数、增加接应点、限制防守活动区域、减少防守人等；缩小场地、限制进攻学生触球次数、要求在规定时间内通过半场、只能向前传球、增加防守人数、限制进攻活动区域、支援前场的人数等都可以限制进攻的发挥，是使进攻复杂化的方法，让进攻的学生想出更多的解决办法。在教学训练课中，教师通常会设计四五种降低和提高练习难度的限制条件，以适应实际训练中的各种情况。在教学训练课的比赛部分中，教师主要是认真观察学生在比赛中能否熟练地运用情景练习的方法，很少打断比赛过程。

5. 课后总结

在课的结束部分，教师重视课后的总结和与学生的交流。首先，教师概括性地总结本次课的主题和内容，以及各环节教学训练内容的重点，如技术练习中的动作技术要点、情景练习中不同限制条件下练习方法的要求、比赛中的运动表现等。其次，让学生进行自我评价，主要包括教学训练课中自己达成学习目标的情况、教学训练课中的表现、需要改进的地方等。

三、法国青少年足球教学训练课的教学模式和方法

法国青少年足球教学训练课的主要过程分为情景、练习、比赛等环节，每个环节的目标和内容都不同，每个环节采用的教学模式也不同。法国青少年足球教学训练课中采用的教学模式有三种：自主适应性教学模式（Pédagogie des Modèles Auto Adaptatifs，PMAA）、战术决策教学模式（Pédagogie des Modèles de Décision Tactique，PMDT）、执行性教学模式（Pédagogie des Modèles d'Exécution，PME）。青少年足球教学训练课中采用的教学模式和方法、教学模式中教师和学生的行为见表11-1。

表 11-1　青少年足球教学训练课中采用的教学模式和方法

教学环节	教学模式	教学方法	教学行为和教学措施	学生的行为
情景	自主适应	练习法 观察法 提问法	调整场地和学生人数 讲解情景的规则和得分方式 根据训练目的做出相应指示	适应比赛 寻求解决方法 寻找合适的方法
练习	执行	讲解法 示范法 练习法	讲解、示范正确的动作技术 纠正错误动作 根据训练目的做出相应指示 通过示范来纠正	模仿练习 示范技术动作
比赛	战术决策	提问引导	调整场地和学生人数 讲解情景的规则和得分方式 偶尔暂停比赛，提问学生	适应出现的问题 找出解决方法

（一）自主适应性教学模式

这种教学模式是通过学生自主探索进行学习的模式，其优点是能激发学生参与足球训练的积极性和兴趣，适用于教学训练课中的情景教学训练。在教学训练课的情景练习中，如果学生遇到了问题，教师不直接进行干涉，而是让学生积极思考，寻找合适的解决方案。

（二）战术决策教学模式

这种教学模式以引导的方式让学生进行决策并完成行为，其优点是在很短的时间内就能直接进行技术战术训练，适用于教学训练课的比赛环节。在足球教学训练前、训练过程中和训练后，针对学生遇到的问题，教师可以采用提问的方式来引导学生思考，并提出相应的建议。

（三）执行性教学模式

这种教学模式是通过讲解、示范和练习让学生进行学习的模式，其优点是有利于提高稳定的技术和战术能力，适用于教学训练课的技术练习。教学训练过程中，教师讲解并示范正确的动作技术，学生通过模仿和练习来学习并掌握动作技术。